Intermediate Spanish
Short Stories

INTRODUCCIÓN

Este libro contiene una serie de historias en idioma Español, para estudiantes principiantes o intermedios de éste lenguaje.

Es un libro muy fácil de entender, con el vocabulario preciso y adecuado, con historias cautivantes que te ayudarán a mejorar tu Español.

También cuenta con vocabulario al final de cada historia con las palabras difíciles y su respectivo significado para un mejor entendimiento.

Son acerca de historias de vida en diferentes contextos ,donde conocerás y aprenderás nuevo vocabulario relacionado a amplios aspectos del idioma así como : pasatiempos ,descripción de las partes interiores de un casa ,hoteles, información de viajes, de bullying, muchos problemas actuales ,así como trastornos mentales derivados de diferentes experiencias de vida , diferentes tipos de familias y sus respectivos integrantes, descripción de emociones, profesiones, colores ,tamaños, situaciones cotidianas, temas actuales como el padecimiento de la anorexia, el Covid , términos laborales, descripción de diferentes tipos d ropa, juguetes, comidas, itinerarios, rutinas, viajes, medios de transporte ,historias de amor ,animales, clima, experiencias de jóvenes en diferentes contextos, historias de gente real, términos musicales, amistad, educación, rutinas diarias, diferentes tipos de juguetes, negocios, muebles, abuelos, y acciones diarias que realiza una persona.

Son historias muy interesantes que además de mejorar increíblemente tu español, las disfrutarás leyendo.

Contenido

SOLITARIA

Había una vez una niña llamada Sara, de 9 años de edad, ella era muy solitaria, sus amigos la tildaban de rara.

Por supuesto que ellos no eran sus amigos, simplemente eran sus compañeros de clase.

Algo en Sara definitivamente no estaba bien.

Su mamá se dio cuenta y le habló, le dijo que tenía que interactuar más y hacer algún pasatiempo.

Lo que le pasaba a Sara en realidad, es que nadie se había acordado de su cumpleaños, ni siquiera sus papás, por eso empezó a actuar de manera retraída y solitaria.

Dentro de todo esto, Sara encontró un pasatiempo, se compró un diario íntimo y empezó a componer los más bellos poemas que te puedas imaginar, realmente era muy talentosa.

Eso le dio confianza en sí misma y le proporcionó un gran alivio de acuerdo a todo el estrés y tristeza que sintió al sentirse tan sola y olvidada.

Por supuesto que sus padres la compensaron, ellos en realidad trabajaban mucho para darle lo mejor a Sara, ella lo entendió y lo valoró.

Un día navegando por internet descubrió un anuncio de un concurso literario, era de poesía, a Sara le encantó la idea y se inscribió.

Se inspiró en su escritor favorito: Bukowski.

Sara esperaba ansiosa los resultados, varios niños de su escuela también se habían inscripto y aguardaban los resultados todos juntos en la sala de cine.

Llegó el momento de la resolución.

"La ganadora de éste importante concurso literario Internacional es: Sara Saxon"

Sara explotó de emoción, por primera vez se sintió importante, todos estaban asombrados de que la rara había logrado un triunfo.

Dejó de ser retraída, las niñas querían ser sus amigas, poco a poco todo se fue normalizando y Sara descubrió su pasatiempo que era leer y escribir.

Gastaba hojas y hojas, las palabras brotaban de su alma, las lapiceras se le terminaban enseguida, aparte de su pasatiempo se convirtió en un posible futuro laboral.

Sara soñaba con ser escritora reconocida, y así es que decidió que una vez terminados sus estudios secundarios, se dedicaría a la escritura.

Muchos le decían: "No seas soñadora, en ese ámbito solo muy pocos triunfan"

Pero ella obvió las desalentadoras palabras y se enfocó en lo positivo.

Así siguió feliz y en su próximo cumpleaños le hicieron una fiesta sorpresa todos sus amigos y su familia, se sintió muy querida y olvidó aquel día tan triste en el que nadie se había acordado, se enfocó en el presente, el pasado no lo podemos cambiar y cumplió muy feliz.

Al momento de apagar las velas, pidió tres deseos:

1) Tener salud siempre

2) Ser escritora famosa

3) Ser feliz

Sara era una niña muy madura, pasó el tiempo y sus deseos se volvieron realidad.

Le llegó una propuesta de una Editorial muy importante, para hacer una biografía de una chica con trastornos mentales. Al libro lo llamó: "Sol y Tormenta"

Su libro se volvió best seller.

Y ella se hizo un tatuaje, porque siempre le gustó una frase, que se aplica muy bien en el presente de Sara: "cuidado con lo que sueñas, porque se puede volver realidad".

VOCABULARY:

TILDABAN: THEY BRANDED HER

INTERACTUAR: TO INTERACT

ENFOCÓ: FOCUSED

RETRAÍDA: LONELY

PROPORCIONÓ: PROVIDED

TRIUNFO: TRIUMPH

BROTABAN: FLOWED

LABORAL: LABOR

MI CUARTO Y UN VIAJE

Catalina es una abogada de 35 años, que vive con su madre, debido a que sus padres se divorciaron cuando ella era chiquita, a pesar de que siempre visita a su padre.

Tiene dos hijos, una niña y un varón, ellos son Santiago de siete años, y Camila de cinco años, son rubios de ojos celestes los dos, a pesar de que Santiago los tiene más verdosos.

Catalina es muy afortunada, tiene un estudio jurídico en el centro de la ciudad, es muy popular y gana mucho dinero, así como también trabaja muy duro para tener todo lo hasta ahora ha logrado tener.

Pero todo cambia en la vida, y su mamá se puso de novia con un señor muy bien, él es taxista y guitarrista, resulta que decidieron casarse y vivir juntos, entonces Catalina, se alegró porque veía a su mamá feliz.

Entonces decidió rentar un departamento a seis cuadras de lo de su madre, para estar cerca, debido a que también Doña Ramona siempre cuidó de los niños, era su niñera.

Después que hizo la mudanza llegó la hora de pensar en la decoración de su cuarto, el cuarto era la habitación que a ella más le importaba.

Entonces llamó a una decoradora, la cual le sugirió hacer un cuarto de color gris, con acolchados color rosado, un cuadro arriba de la cama que decía una frase muy bonita en inglés, anexaron también muebles modernos, así como un escritorio con su computadora y libros.

Pusieron un sillón grande en color negro, y una cama grande, las cortinas las hizo con motivos de flamencos en gris y rosado también, todo combinaba.

El cuarto quedó hermoso, Catalina estaba feliz, además tenía una ventana en su dormitorio que se veía toda la ciudad, para finalizar compró un perfumador de vainilla y puso su piano en el cuarto.

La primera noche que durmieron en esa casa fue fascinante, era muy fría en verano, y calentita en invierno, era perfecta.

Las amigas de Catalina al ver el cuarto tan hermosamente decorado, le pidieron ayuda para decorar los suyos debido a su gran gusto por la decoración, obviamente acompañada de la arquitecta y decoradora Silvana Ferez, la mejor del barrio.

La mamá de Catalina finalmente se casó, y para su luna de miel decidieron irse todos a un viaje a Cancún, tuvieron que desempacar toda la ropa de verano debido a que en su ciudad es invierno y en Cancún era pleno verano, hacía mucho calor.

Catalina feliz al tener su cuarto hermoso, ver a su mamá feliz, y tener la gran dicha de hacer ese hermoso viaje ¡allá vamos! ¡Hora de hacer las maletas!

VOCABULARY

PERFUMADOR: PERFUMER

FASCINANTE: FASCINATING

CARTEL

Cartel es un hombre soltero, empresario, muy buena persona, amable generoso, sincero, enojadizo, miedoso y muy divertido.

Cartel siempre quiso un hijo, mejor dicho, una esposa que lo haga feliz y tener un fruto de ese amor, pero Cartel trabajaba mucho, de lunes a lunes, nunca paraba, excepto cuando le daban fuertes jaquecas, porque él era adicto al trabajo, y por eso no tenía tiempo para salir y encontrar al amor de su vida, entonces decidió ser padre soltero, subrogó un vientre y finalmente tuvo a su hijo al cual llamó "Noah".

Para cumplir con su paternidad, empezó a trabajar menos horas, él ya tenía muchos ahorros y era momento de disfrutar la vida, Noah cambió el sentido de su vida, siempre decía que su hijo fue lo mejor que le pasó.

Pasaron dos años, el pequeño Noah ya estaba bastante más grande, era precioso, de ojos negros, pelo castaño, cara perfecta y tez blanca.

Cartel se emocionaba cada vez que Noah decía una palabra nueva, estaba empezando a hablar todo, era muy adorable y tierno oírlo.

Le encantaba una canción de los colores, pero le costaba aprender a diferenciarlos.

Entonces su papá decidió hacerle un regalo.

Le compró un auto de jugar rojo, una pelota azul, un tractor de juguete amarillo, una alfombra verde, un juego de doctor con el uniforme blanco, y un robot negro.

A pesar de la felicidad de Noah al recibir todos esos regalos, éstos lo ayudaron mucho a aprender los colores, su padre lo estimuló muy bien, poco a poco se fue familiarizando con los colores, hasta que después decía: "El sol es amarillo, el pasto es verde, el cielo es celeste, el caballo es negro, mi corazón es rojo, la casa es azul"

Los aprendió a la perfección. Su papá estaba orgulloso de cuán inteligente era su hijo.

Llegó el momento en el que Noah empezaría el jardín de infantes, el delantal gris le quedaba tan bonito con esa corbata verde, estaba precioso.

Le fue muy bien, aunque los niños le preguntaban a Noah donde estaba su mamá y él no sabía que contestar.

Esto lo frustró por un par de años ,hasta que se lo preguntó a su padre, Cartel no tuvo problema en volverle a explicar que él no tiene mamá ,que hay diferentes tipos de familia, no solo la forma tradicional del papá la mamá y los hermanos.

Hay niños que viven con su abuela, otros que viven solo con su madre, y así.

Para que Noah lo entendiera mejor, Cartel le mostró una canción de la familia donde contaban historias de muchos niños diferentes con familias muy diferentes, entonces el pequeño entendió que no siempre se necesita una mamá, que el amaba a su papá y eso era normal para él, y que era muy feliz de esa manera, como su amiguito Kevin que vivía con su abuelita y era muy feliz.

VOCABULARY

SUBRROGÓ: SUBROGATED

TEZ: COLOR OF THE SKIN

LA TIENDA DE ROPA

Mi hermana trabaja en una tienda de ropa ,le encanta la moda y estar actualizada, siempre se viste muy bien ,de una manera muy elegante , además de lo hermosa que es , es pelirroja de ojos color miel ,tiene muchas pecas que la hacen especial y única , y es muy amorosa conmigo, yo soy la hermana menor ,vivimos papá ,mamá ,Candela y yo en la misma casa ,somos una familia feliz, y trabajadora.

Yo aún soy estudiante, por eso no trabajo todavía, pero en mi familia una vez que se termina la secundaria, hay que ponerse a trabajar, no somos una familia pudiente, ni de herencias, ni de dinero ahorrado, vivimos con lo justo y apenas llegamos a fin de mes, por eso no podemos darnos el privilegio de estudiar, como dicen "el tiempo es oro".

Yo estaba a punto de cumplir los 18 años, edad que me permitiría empezar a trabajar, y me fascinaba la idea de trabajar en una tienda de ropa como mi hermana.

Resulta que pasado mi cumpleaños, una de las empleadas compañera de mi hermana renunció al trabajo porque se iba del país con el novio, entonces quedaba una vacante.

Apliqué sin decir que era hermana de Candela y afortunadamente tuve suerte y quedé seleccionada, mi tarea era atender a los clientes y mantener en orden la ropa y el depósito, cada vez que llegaba mercadería nueva.

Es una tienda magnífica, me encanta toda la ropa que hay, ojalá muy pronto me la pueda comprar.

Venden pantalones, jeans, remeras, pijamas, buzos, chaquetas, camperas, championes, zapatos, ojotas, pantuflas y muchas cosas más.

En mi primer día vendí un pantalón, tres camperas, dos polleras largas y otra corta, championes de fútbol, y pijamas.

Las compañeras me tratan muy bien, hay muy buen ambiente laboral, me siento feliz y realizada, soy muy responsable y detallista, me va muy bien, hasta salí empleada del mes.

Mis padres están orgullosos de mí, al igual que mi hermana.

Ahora en mis tiempos libre voy a empezar un curso online de técnico en sonido para poner un estudio de grabación en casa, me lo voy a pagar trabajando.

Sin esfuerzo no hay nada en esta vida, y yo lucho, sueño y lo logro, nada es imposible.

VOCABULARY

ACTUALIZADA: IN

ELEGANTE: ELEGANT

PELIRROJA: RED HAIR

MIEL: HONEY

HERENCIAS: INHERITANCES

VACANTE: VACANT

DEPÓSITO: DEPOSIT

MERCADERÍA: MERCHANDISE

OJOTAS: FLIP FLOPS

PANTUFLAS: SLIPPERS

AMBIENTE: AMBIENT

ESTUDIO DE GRABACIÓN: RECORDING ESTUDIO

UN DÍA EN EL PARQUE

Cada vez que es fin de curso ,mis compañeros y yo , hacemos un picnic y un campamento de siete días, este año decidimos ir a las montañas de "El salto del penitente" ,habían cabañas hermosas ,y mejor optamos por las cabañas.

Primero les quiero contar que en el día de picnic decidimos hacer carne asada con ensalada de lechuga y tomate, y como entrada, comimos papas fritas, jamón, queso y maní.

Tomamos Coca Cola, comimos una torta de postre, y luego mi compañero Martín se puso a cantar y a tocar la guitarra.

Pasamos una tarde hermosa.

Luego todos nos fuimos a hacer las valijas para el viaje y la delegada del grupo se encargó de hacer el itinerario, que se los muestro aquí debajo.

Lunes: Día de pesca

Martes: Día de andar en bicicleta y recorrer el lugar

Miércoles: Día de arte, baile, canto, karaoke.

Jueves: Día de arroyo.

Viernes: Fogón en el río y guitarreada.

Sábado: Día de deportes, escalamos las montañas.

Domingo: Andar a caballo y empacar para volvernos.

De seguro con ese itinerario nos vamos a divertir mucho.

VOCABULARY

FIN DE CURSOS: END OF COURSES

CAMPAMENTO: CAMP

CABAÑAS: CABINS

CARNE ASADA: ROAST

QUESO: CHEESE

MANÍ: PEANUT

POSTRE: DESSERT

DELEGADA: DELEGATE

ITINERARIO: ITINERARY

ARROYO: STREAM

FOGÓN: STOVE

VIAJE A PARIS

En el día de San Valentín, recibí un hermoso regalo de mi novio, un pasaje a París, la ciudad del amor, nos íbamos en tres días.

Yo debo admitir que le tengo un poco de miedo a los aviones, pero amo viajar.

Llegó el día y partimos, apenas llegamos nos tomamos un taxi hasta el hotel y descansamos debido a que fue un viaje muy lago.

Luego nos levantamos fuimos al spa, al hermoso jacuzzi, y por la noche a cenar a un restaurant italiano en los cuales comería pasta y un buen vino tinto.

Al llegar al restaurant me deslumbré, era hermoso, y había música en vivo.

Hicimos nuestro pedido al mozo.

Luego cenamos, yo comí ravioles con salsa, y mi novio ñoquis con salsa boloñesa, la comida estaba muy rica, la música y el lugar eran maravillosos, este viaje es un sueño hecho realidad.

Nos sacamos las típicas fotos en la torre Eiffel, anduvimos en trenes, salimos de compras, compramos regalos para toda la familia.

Pasamos hermoso, nunca olvidaré ese viaje, al llegar la hora de partir no me quería volver.

Es una ciudad cautivante, cultural, interesante, y un destino al que sin duda tenía como meta en la vida.

Los sueños se hacen realidad y mi meta es seguir viajando.

Voy a estudiar mucho y a ahorrar dinero para luego de que me reciba de doctora pueda hacer un viaje largo por Europa.

VOCABULARY

VINO TINTO : RED WINE

DESLUMBRÉ: DAZZLED

MARAVILLOSO: MARVELOUS

COMPRAS: SHOPPING

META: GOALS

AHORRAR: SAVE (MONEY)

LARGA: LONG

LA GRANJA DE MI ABUELO

Todos los domingos pasamos el día en la granja de mi abuelo, el prepara una rica carne asada y mi abuela hace la ensalada de lechuga tomate y huevo.

Me encanta ir a la granja y enseñarle a mi hermano chiquito, todos los animales que hay.

Así que apenas llegamos lo llevé a recorrer .Habían patos, caballos, chanchos, gallinas, vacas, cabras y muchos perros.

Teníamos también una casa en el árbol donde teníamos muchos juguetes.

Decidimos ir a jugar con mi hermanito, yo jugué a las muñecas y mi hermano con autitos.

Luego miramos un partido que mi abuelo quería mirar y también mi papá.

La abuela preparó una riquísima torta de chocolate con dulce de leche.

Después de merendar fuimos a andar a caballo, recorrimos toda la granja.

Le pedí a mis padres para faltar a la escuela el lunes y quedarme en la granja de los abuelos, la abuela Marta me cocina muy rico y me cuenta cuentos para dormir.

Mis padres accedieron, pasé hermoso con mis abuelos.

A la mañana nos levantamos muy temprano para ayudar con todos los animales, y también ordeñamos a las vacas, aprendí muchas cosas que no sabía.

Ayudé a mi abuela en la huerta ,cosechamos muchas verduras, iba a hacer una tarta de acelga para el almuerzo pero ya de paso cosechamos de todo ,como por ejemplo tomates grandes bien rojos, lechugas ,calabazas, zapallos ,remolachas, muchas zanahorias y algún que otro morrón.

La tarta le quedó exquisita, me encanta comer saludable, y me encanta la verdura, creo que me estoy convirtiendo en vegetariana.

Luego mis padres me fueron a buscar, ya era hora de dejar la diversión, hacer los deberes para la escuela para el día siguiente debido a que tenía un martes muy ocupado.

Tenía clases de teatro, gimnasia y ballet, me despedí de mis abuelos, ansiosa porque ya llegase el fin de semana para volver a ver a mis abuelos.

VOCABULARY

GRANJA: FARM

RECORRER: TOUR

JUGUETES: TOYS

PADRES: PARENTS

ORDEÑAMOS: WE MILK

HUERTA: VEGETABLES PLOT

TARTA: TART

SALUDABLE: HEALTHY

LA CLASE DE EDUCACION EMOCIONAL

Hoy la profesora propuso contar como nos sentíamos cada uno de nosotros, pasando al frente a contarlo.

Empezaron por Carla, ella pasó al frente y dijo que estaba feliz porque le habían regalado una computadora nueva y porque salió de compras con su amiga.

Luego pasó Carlos quien manifestó estar cansado porque de noche un perro ladra siempre y no puede dormir bien.

Después le tocaba a Nerea, Nerea dijo que estaba ansiosa porque faltaba poco para que naciera su hermano al cual llamarían Bastián.

Carlos manifestó estar triste porque su madre estaba enferma.

Mari dijo sentirse desilusionada porque una amiga se peleó con ella.

Olga se siente emocionada porque se va a vivir a Estados Unidos donde los espera su papá

Y así un sinfín de emociones de los treinta alumnos.

Finalizamos la actividad haciendo una canción en la cual expresábamos sentimientos, emociones con la consigna de utilizar las oraciones que proporcionó la profesora.

La consigna era la siguiente:

1) Me siento enojada porque mi hermano me rompió la cartuchera.

2) Me siento ansioso porque pasado mañana me voy de viaje.

3) Estoy muy feliz porque saqué la lotería.

4) Estoy cansado porque estudié toda la noche para el examen de historia.

5) Me siento con miedo porque han habido robos en mi vecindario.

6) El trabajo me estresa mucho, necesito unas vacaciones.

Y así hicimos una canción fabulosa que a la profesora le encantó y la cantamos en la fiesta de primavera como muestra del proyecto escolar de fin de año.

Fue una gran experiencia.

VOCABULARY

PROPUSO: PROPOSED

LADRA: BARKS

ANSIOSA: ANXIOUS

CONSIGNA: SLOGAN

CARTUCHERA: POUCH

VECINDARIO: NEIGHBORHOOD

MI PAÍS

Uruguay es el país donde yo nací, es un pequeño país al lado de Argentina y Brasil, su clima es templado, y predomina la pradera, el campo, el ganado.

Su comida tradicional es el "asado" ,el cual es una carne deliciosa ,asada a la parrilla se acostumbra a cocinar una llamada "parrillada" que contiene asado y muchas cosas más como por ejemplo chorizos y generalmente se come con ensalada de guarnición.

El clima de mi país es perfecto, nunca hace frío extremo, no hay nieve, y las temperaturas en verano no exceden los cuarenta y cinco grados.

Tiene las playas más hermosas del mundo , hay un balneario sumamente hermoso ,lleno de playas llamado Punta del Este , es una tradición que en los veranos de Punta del Este vengan muchos extranjeros a visitarla ,vienen en auto, en crucero, en avión o en ómnibus, lo cierto es que las noches de verano de Punta del Este son las más pobladas, hay gente en los restaurantes de la playa hasta muy tarde, también los jóvenes argentinos que vienen van a muchas fiestas que se dan a lugar en verano ,donde se llena .

Aparte de Punta del Este hay muchos otros balnearios turísticos hermosos, alguno son en el campo con arroyo, así como también hoteles y aguas termales.

El clima es privilegiado, solo han ocurrido dos tornados en toda la historia del país, no hay huracanes ni tsunamis, ni volcanes, ni nieve, se conforma por las cuatro estaciones, en abril es otoño, en julio es invierno, en setiembre primavera, y en diciembre verano.

A pesar de que es un país chiquito y subdesarrollado, a mi me encanta haber nacido aquí, tiene todo lo que necesito y nunca viviría en otro lado.

VOCABULARY

PRADERA: MEADOW

GANADO: ANIMALS

GUARNICION: GARRISON

NO EXCEDEN: DO NOT EXCEED

BALNEARIO: TOURIST PLACE WITH BEACH

AGUAS TERMALES: THERMALS WATERS

LA VENGANZA

Estaban en el supermercado Isa y su madre mientras su papá trabajaba como policía en la Interpol, él siempre atrapaba delincuentes, así como narcotraficantes.

La mamá de Isa era doctora especialista en adolescentes.

Ese día de compras fue muy especial, fue algo que cambió la vida de Isa.

María e Isa se desencontraron en el supermercado y quedaron en verse en el estacionamiento, debido a que cada una tenía que hace otras compras personales.

Cuando Isa llegó al estacionamiento, vio a su mamá tirada en el piso muerta, la habían asesinado, fue un dolor desgarrador para la pobre Isa.

Desafortunadamente Esa misma tarde apareció asesinado el padre de Isa.

Ella quedó a cargo de la empleada doméstica que tenían, hasta que la mandaron a esconderse a Estados Unidos porque su vida peligraba.

Resulta que el padre de Isa había intentado atrapar a un narcotraficante muy importante y los delincuentes se propusieron hacerle daño a toda su familia, Isa se salvó, por eso ahora vivía en Estados Unidos.

Ella tenía sed de venganza, investigando e investigando, encontró a los responsables de la muerte de sus papás.

Entonces decidió preparar una venganza.

Cuando Isa cumplió la mayoría de edad, decidió volverse a su país natal (México) ,dispuesta a hacer venganza.

El plan que había ideado era citarlos a todos en un salón alejado de la ciudad con la fachadada de que era una fiesta para halagarlos.

Llegó la hora, Isa contrató mozos que guiarían a esta gente a sus asientos, cuando llegaron todos empezó la venganza.

Isa les empezó a hablar por altoparlantes y a reproducir en pantalla gigante un video que le había llegado a ella con la mejor prueba, una reunión donde se habla de que iban a matar a toda su familia, y se ven la cara de todos , así que todos está comprometidos.

Las caras que tenían esas personas eran de miedo.

Isa llamó a la policía, sin dejar salir a toda ésta gente, y les mostró el video a la policía, inmediatamente se reabrió el caso del asesinato de los padres de Isa.

Se los llevaron a todos presos, entre gritos y patadas de los delincuentes que se resistían.

Al fin se hizo justicia.

Isa le agradeció a Pedro por haberle mandado el video, sentía un profundo alivio, aunque sin sus padres la vida no era lo mismo.

A partir de ese día, ella comenzó una nueva vida, empezó a estudiar psicología, y como en Estados Unidos hizo boxeo, abrió un gimnasio, finalmente Pedro le declaró su amor a Isa, y se volvieron novios.

Ahora si, había justicia, y estaba llena de amor.

VOCABULARY

NARCOTRAFICANTES: DRUG TRAFFICKERS

ESTACIONAMIENTO: PARKING

DOLOR DESGARRADOR: HEARTBREAKING PAIN

ASESINADO: MURDERED

LA CASA EMBRUJADA

Benjamín y Octavio tienen catorce años, además de estudiar, se dedican a investigar sucesos paranormales y en base a eso son youtubers, han pasado por experiencias increíbles.

El próximo reto era acampar en la casa Embrujada de la "Madame Paulette" quien vivió hace años en esta mansión que quedó abandonada, nunca se vendió, se convirtió en leyenda.

Y, cuenta la leyenda que a las doce y quince am, la Madame se levanta a perturbar a los mortales que anden cerca de ella, según dicen se la escucha gritar "váyanse" y la casa hace ruidos perturbadores, una vez que entras en su propiedad, la Madame no te dejará ir nunca más. Ella fue una mujer muy mala, quedó viuda y nunca tuvo hijos, era tan fría como el hielo, y tan peligrosa como una serpiente venenosa.

Benjamín y Octavio prepararon sus cosas, la carpa y todo lo que necesitaban, linternas por supuesto, y arrancaron en moto.

Era un largo trayecto, la mansión estaba ubicada a kilómetros en las afueras de la ciudad de Montevideo.

Llegaron, apenas estaban subiendo el repecho que da lugar a la casa, la moto se les apagó, y no había manera de encenderla, pero al menos habían llegado.

Preparan sus cosas en el bosque de la mansión, ellos no tienen miedo, a las nueve de la noche deciden cenar unos ricos pescados fritos.

Luego sale a investigar la casa, alumbran con las linternas, todo se ve muy empolvado y lleno de telas de araña, buscaron un lugar por donde entrar, afortunadamente había una ventana completamente sin vidrio, y entraron.

Ni bien entraron ya se asustaron, las linternas quedaron sin pilas, ¿no sería la maldición de la Madame? atinaron a encender una vela añeja que había en un empolvado candelabro, y se empeñan en recorrer la casa.

Hallaron muy extraño que había muchas puertas trancadas, cuando de pronto, la única puerta que encuentran abierta se cerró de golpe y quedó trancada, ambos chicos se empezaron a asustar, corrieron a la puerta de la entrada, y también estaba trancada.

Benja sacó la cámara y empezó a filmar una casa abandonada hace muchos años, se empezaron a prender las luces, y no había energía eléctrica, ahí sí que más miedo sintieron.

Siguieron recorriendo hasta que escucharon un grito intenso que parecía provenir de la casa, y a la vez de ningún lugar.

Se fijaron la hora, vaya, la leyenda se cumplía, los sucesos paranormales existían.

Los invadió un miedo que los obligó a irse de la casa hacia donde estaban sus carpas, los gritos seguían, pero ya mas aliviados y con el material para su próximo programa.

Desafortunadamente lo peor no había pasado.

Cansados se durmieron esperando tener una noche tranquila, los sonidos habían cesado.

Mientras dormían Benjamín se despertó transpirado y asustado, le habían sacado la manta y no había nadie.

Octavio se despertó y manifestó tener una pesadilla que parecía realidad.

Decidieron irse, pero primero debían guardar todas sus cosas, lo cual llevaría tiempo.

Mientras realizan esa tarea se acerca un señor mayor de cabellera blanca en canas, ofreciéndoles ayuda y explicándoles los peligros de estar ahí, si te quedabas, algo malo le sucedía a algún familiar cercano de ellos.

Aceptaron su ayuda, recogieron todo, asustados, y no se fueron sin antes agradecerle al hombre un poco extraño que apareció de la nada, Octavio le preguntó su nombre y en donde vivía, a lo cual el señor respondió: Me llamo Norman Bardouiliette, vivo en una pieza que está detrás de la casa de la Madame, los chicos hallaron extraño, pero olvidado el asunto, le pidieron sacarse una foto los tres.

Sacada la foto emprenden viaje con la moto de tiro, hasta que ya cansados con un kilometro caminando, las cosas, y la moto rota, Benja decidió probarla, pues mágicamente la moto prendió, solo se apagó cuando llegamos a la casa de la Madame, entonces esa es otra parte de la leyenda.

Ambos no negaron que sintieron miedo, pero que tenían la mejor información.

Cundo fueron a subir la foto con Norman, Norman no salía en la foto.

Entonces buscaron en google "Norman Bardouiliette", decía que era un hombre que murió el siglo pasado, con causas desconocidas de muerte, trabajaba para la famosa Madame.

Ahí si que los chicos se quedaron atónitos, se sacaron una foto con un muerto que juraba estar vivo.

El programa que realizaron quedó espectacular, tuvieron muchos espectadores ansiosos por ver la siguiente historia que iban a narrar, la de la casa embrujada.

En la finalización del video se despiden y comentan que su próxima experiencia, sería visitar el abandonado "molino de Lavagna " donde se escucha a una niña llorona en la medianoche.

Los chicos recomendaron no visitar estos lugares ya que son muy peligrosos y que las actividades paranormales, sí existen.

No podían negar que nunca habían sentido tanto miedo como en lo de la Madame, sería una experiencia única en su carrera, tal vez la más miedosa de todas.

Los chicos felices, emprenden la nueva experiencia ¿cómo sería esta vez?

VOCABULARY

VIUDA: WIDOW

CESADO: END

MANTA: BLANKET

PESADILLA: NIGHTMARE

CANAS: WHITE HAIR

MOTO DE TIRO: CARRYING THE MOTORBIKE

LEYENDA: LEGEND

ESPECTADORES: SPECTATORS

ATÓNITOS: STUNNED

JURABA: SWORE

BELLA

Ella era frágil, como un cristal, ella es muy sensible, todo la hace llorar.

Ella es Bella, Bella tiene 22 años y ya es madre, tiene una hermosa hija producto de la relación con su novio Rafael.

Lo cierto es que Bella no es feliz, ella trabaja en la limpieza y su novio le obliga a darle todo su salario a él, ella no vive, no se siente feliz, por si fuera poco, Rafael le ejerce violencia psicológica, tanta tanta que tuvo que empezar terapia y eso la ayudó a tomar la decisión de que quería, separarse ,ella era muy joven, merecía ser feliz.

Él le controlaba la ropa que se ponía, la denigraba, la humillaba, la obligaba a salir y frecuentar a los suyos, dejando su vida a un lado, si en alguna ocasión ella se negaba, él la amenazaba con dejarla.

Bella empezó a volverse depresiva, retraída, aunque ya tenía en mente la decisión que tal vez salvara su vida y la de su pequeña hija.

Con todo el valor del mundo, decidió hacerle una denuncia debido a que él la perseguía, una vez que violó la restricción, fue preso.

Le mandaban amenazas de muerte de la cárcel, Bella estaba muy asustada.

Pasó el tiempo y no pasó nada, Bella sentía que le faltaba Rafael, por más malo que él hubiese sido, ella lo amaba igual, eso es amor tóxico.

Ella perdió su identidad, no es sin él, no sabe adónde va, es sumamente dependiente, por la carencia de amor que sufrió cuando chica, a su vez le diagnosticaron un trastorno mental: Borderline.

Las características de este trastorno son el no control de la impulsividad, la ira, las emociones que sienten muy intensamente, sufren miedo al abandono y tienen conductas auto lesivas.

Su psicóloga la había derivado al psiquiatra, mientras a su vez ella trataba de arreglar su vida que se había caído a pedazos.

La empezaron a medicar , con el tiempo se sintió mejor, ella por su hija siguió en su trabajo ,luchando día a día ,pero afortunadamente ,se le presentó una nueva oportunidad laboral para cajera de un supermercado, el horario era extenso ,necesitaría una niñera, entonces su amiga Pilar se ofreció gratuitamente a cuidar de ella.

Así con el tiempo fue mejorando y entendió que ella crea su destino, ella elige a las personas que rodean su vida.

Nació su amor propio y con eso vino la recompensa, se rodeó de cosas positivas, le fue muy bien, hasta recibió una herencia de su tío español, y le mejoró la vida.

A Cala le dio todo, y a su vez se permitió enamorarse.

Pero esta vez estaría alerta a las señales de la persona para no volver a sufrir lo mismo.

Quien te ama te cuida, se preocupa por ti, te da independencia, no duele, por suerte Bella se dio cuenta, hoy está muy orgullosa de ella misma, nunca más iba a permitir que le ejerzan violencia psicológica, hoy se ama, y es feliz.

VOCABULARY

OBLIGA: FORCES TO

EJERCE: EXERCISES

MERECÍA: DESERVED

DENIGRABA: DENIGRATED

SEPARARSE: BREAK UP

PERSEGUÍA: FOLLOW

PRESO: IN JAIL

CÁRCEL: JAIL

CARENCIA: DEFICIENCIE

IRA: ANGER

AUTOLESIVAS: SELF INJURIOUS

DERIVADO: DERIVATIVE

PEDAZOS: PIECES

CAJERA: CASHIER

LA SOÑADORA

Había una vez una niña que soñaba con ser cantante, en su quinto cumpleaños, su padre le regaló una guitarra.

Cada día ella se esforzaba por aprender, al cabo de un año sabía tocar muy bien, y fue superándose hasta ser una gran guitarrista.

A sus 18 años debutó en una banda como guitarrista y recibieron premios, se volvieron muy conocidos, mientras saboreaban el éxito, ella descubrió que amaba cantar, cada noche se encerraba y cantaba.

Empezó a componer canciones que a nadie se las mostraba.

Hasta que un día se desinhibió y compartió dos de sus canciones con la banda, ellos quedaron asombrados, tanto que le propusieron hacer esas canciones con la banda, y que ella la cantara a dúo con el otro cantante.

Se sintió feliz, sus canciones triunfaban, sonaban en todos lados, cada vez era más conocida.

Le llegó una propuesta de una discográfica para ser solista.

Accedió y le fue muy bien.

En su primer concierto fue mucha gente; logró una fama internacional.

Era considerada la reina del pop.

VOCABULARY

APRENDER: LEARN

AL CABO: AFTER

SABOREABAN: THEY SAVORED

MOSTRABA: SHOWED

MI ARTISTA FAVORITO

Mi artista favorito se llama Ricardo Arjona, nacido en Guatemala el 19 de enero de 1969.

Él es alto, muy buen mozo, pelo largo, toca muchos instrumentos.

Tuve la oportunidad de ir a uno de sus conciertos y es realmente inolvidable.

Es cantautor, por eso lo admire tanto, es increíble como cada canción que compone es hermosa, usa un vocabulario muy rico, y recursos literarios muy profundos, así como metáforas muy originales.

Es un estilo de música sentimental.

Mi canción favorita del es: "Sin daños a terceros".

Y en segundo lugar, mi siguiente cantante favorita es Mon Laferte, chilena que triunfó en México en un reality, tiene una voz maravillosa, aguda, y cuando hace los graves también son excelentes, su rango de voz es amplio, y mi que me gusta el canto, no los puedo cantar en el tono original porque son muy agudas para mí. Pero las adapto a mi manera en la guitarra y las canto.

La música es todo para mí, s una especie de terapia, una compañía un desahogo, diversión , tristeza ,melancolía ,baile, como dijera una frase : "LA MUSICA ES LA REINA MADRE Y YA NO SE HABLE MAS "

VOCABULARY

BUEN MOZO: HANDSOME

RANGO: RANK

DESAHOGO: RELIEF

LA MADRE ABUELA

Erase un vez dos niñas hermanas; Mariana Y Agustina que quedaron sin sus padres, porque se divorciaron y se olvidaron de ellas; entonces su abuelita materna se hizo cargo de las dos niñas.

Les inculcó muchos valores y las educó muy bien.

Olga estaba feliz de ver a sus nietas sanas, educadas, tiernas.

La abuelita siempre las ayudaba con sus estudios y les hacía una comida deliciosa.

Eran muy felices; hasta que un día crecieron y sin alejarse de su abuelita; comenzaron a estudiar; una abogacía y la otra psicología; al cabo de cinco años ya se habían recibido pusieron su estudio y su consultorio juntas en el centro de la ciudad.

Les empezó a ir muy bien

Prometieron hacerle un regalo inolvidable a su abuela mamá; iban a comprar un auto para sacarla a pasear; ese era su sueño.

Se decidieron por el modelo; finalmente un Peugeot blanco y negro.

El día que se lo mostraron lloró de emoción y salieron a hacer las compras para la cena y a pasear un ratito por la rambla de Punta del Este, el clima estaba muy agradable.

Hay personas en la vida que cumplen el rol de otras, y este es su caso, su abuela se convirtió en su madre, y la aman mucho.

Les encanta hacerla feliz.

VOCABULARY

ABUELITA: GRANNY

INCULCÓ: INSTILLED

OLVIDARON: THEY FORGOT

CRECIERON: THEY GREW

REGALO: PRESENT

MI AMIGA CAROLINA

Mi mejor amiga se llama Carolina.

Tiene el pelo lacio, castaño, ojos chiquitos verdes, usa lentes, es de estatura baja, tiene treinta años y trabaja en un supermercado como reponedora.

La considero mi mejor amiga porque ha estado siempre a mi lado, en momentos difíciles para mí.

Yo tuve una época que estuve muy mal económicamente y ella se hizo cargo de todo a pesar de que se enoja con mucha frecuencia, es un ser hermoso, y una amiga de oro.

Hoy en día vivimos juntas, yo logré recibirme de Educadora Inicial y trabajo en un colegio.

Cada cual está construyendo su casa, poco a poco, la casa propia.

Ahorramos muchos dinero viviendo juntas debido a que los gastos son a medias y por eso es que estamos pudiendo construir nuestras casas.

Hace 10 años que conozco a Carolina nunca nos peleamos por nada, hasta nos hicimos un tatuaje que representa nuestra amistad.

Ella más que amiga ya se convirtió en mi familia.

La quiero muchísimo.

VOCABULARY

EDUCADORA INICIAL: EARLY EDUCATOR

MOMENTOS DIFÍCILES: HARD MOMENTS

CONSTRUYENDO: BUILDING

PELEAMOS: WE FIGHT

MI LUGAR DE TRABAJO

Mi nombre es Dalma, soy maestra preescolar y trabajo en una guardería llamada "Arcoíris".

Mi trabajo es cuidar a los niños, alimentarlos, ocuparme de sus pertenencias, de la higiene así como cambiar pañales, y también me encargo de su diversión y de estimularlos.

Tenemos una rutina.

En la mañana lo primero que hacemos es desayunar, ellos miran dibujos animado educativos mientras yo les preparo el desayuno que cada uno trajo.

Luego cantamos la canción del desayuno, y empezamos a comer.

Se torna todo muy desordenado cuando comen los niños porque son chiquitos y están aprendiendo a comer solos, entonces ensucian todo.

Por ese motivo, a la diez de la mañana viene Eva y limpia todo mientras jugamos y cantamos.

A las diez y media los niños tienen clase de canto, para eso viene Juli, la mejor profesora.

Después tienen gimnasia y plástica, en la clase de plástica hacemos hermosas manualidades lúdicas. Estamos creando una carpeta de fin de año con todas las actividades que hemos hecho.

A las doce menos cuarto una vez lavadas las manos de todos los niños, se comen una fruta, y esperan con sus mochilas puestas a sus papás.

VOCABULARY

GUARDERÍA: KINDERGARTEN

CUIDAR: LOOK AFTER

PERTENENCIAS: BELONGINGS

HIGIENE: HYGIENE

DIVERSIÓN: FUN

DESAYUNAR: HAVE BREAKFAST

DIBUJOS ANIMADOS EDUCATIVOS: EDUCATIONAL CARTOON

DESORDENADO: MESSY

CANTO: SINGING

PROFESORA: TEACHER

MANUALIDADES: CRAFTS

LAVADAS: WASHED

MOCHILAS: BAG

MI PERRO BAMBINO

Mi perro Bambino tiene tres años, es caniche su raza, tiene rulos y es de color blanco.

Es muy tierno y duerme conmigo.

Se enoja mucho si lo tocas mientras duerme.

A pesar de eso es un perro muy bueno y educado, muy juguetón, yo lo considero mi hijo canino.

Él es muy importante para mí, nos damos mucho amor,

Su comida favorita es el pollo y además come su ración sabor a carne.

Es muy delicado del estómago, hay muchas cosas que no puede comer porque se enferma, por eso es que lo cuido mucho, tiene prohibida la comida humana a no ser el pollo.

Bambino va a la peluquería todos los meses y le hacen su corte de raza.

Mis días libres son los sábados y los domingos, es por eso que de lunes a viernes tiene un paseador.

Los sábados de mañana vamos al río, él corre y se baña, se ensucia, se revuelca en la arena y parece ser muy feliz.

Los domingos pasamos acostados mirando series y a la tardecita lo saco a jugar a la pelota y a hacer sus necesidades.

Bambi está amaestrado, se porta muy bien, es obediente,

Lo amo y me ama, los perros son ángeles que llegan a nuestras vidas para cuidarnos.

¡Gracias por estar en mi vida!

VOCABULARY:

PERRO: DOG

CANICHE: BREED OF DOG

RULOS: CURLERS

JUGUETÓN: PLAYFUL

CANINO: CANINE

POLLO: CHICKEN

RACION: RATION

ESTÓMAGO: STOMACH

PROHIBIDA: FORBIDDEN

PELUQUERÍA: HAIRDRESSER

PASEDOR: WALKER

RÍO: RIVER

REVUELCA: WALLOWS

AMAESTRADO: TRAINED

NECESIDADES: NEEDS

ANOREXIA.

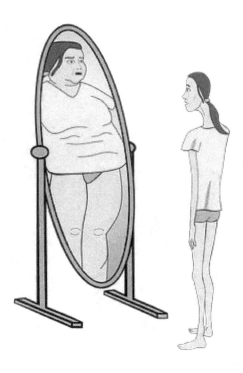

Había una vez una chica llamada Virginia que padecía anorexia nerviosa a causa del bullying que le ejercieron muchos compañeros de clase hasta que se enfermó.

De pequeña era una niña gorda, saludable, feliz, hermosa.

Virginia sufrió tanto que dejó de comer así no la molestaban mas, pero nadie sabía por qué ella había adelgazado tanto, la veían mas flaca y se lo atribuían al estrés.

Adelgazó seis kilos en un mes y al cabo de cuatro meses, ya estaba deteriorada.

Sus amigas se dieron cuenta y hablaron con sus padres, la madre de Virginia se puso a llorar, sabía que algo le pasaba a su hija.

A la noche Virginia se estaba bañando, se mareó y se cayó en la ducha, su madre sintió el golpe y subió a ver qué había pasado, ahí la encontró a su hija desmayada, caída, pálida y muy flaca, ese fue el comienzo de su rehabilitación.

Llamaron al médico, le hicieron análisis, la examinaron y la encontraron muy mal, los resultados de los análisis estaban todos muy alterados.

Fue entonces cuando la internaron.

En el colegio comenzaron las marchas contra el bullying apoyando a Virginia, varios niños fueron suspendidos por la confesión de Virginia a su vez, cada vez más niños se animaban a contar sus malas experiencias con el bullying, así se fue creando una consciencia anti bullying.

Virginia puso mucho esfuerzo de su parte más el amor que recibía de sus pares y de su familia, así el camino fue más fácil, y poco a poco se recuperó, hoy su peso es normal, lleva una dieta saludable y va al gimnasio,

Hoy tiene amor propio, actualmente forma parte de una asociación de lucha contra la anorexia.

Virginia ahora es feliz y muy sana.

VOCABULARY

ADELGAZADO: SHE LOST WEIGHT

FLACA: THIN

GORDA: FAT

DUCHA: SHOWER

EJERCIERON: THEY BULLIED HIM

DESMAYADA: PASSED OUT

PÁLIDA: PALE

CAÍDA: FALL

INTERNARON: THEY INTERNED

MARCHAS: DEMONSTRATIONS

SUSPENDIDAS: SUSPENDED

PARES: PAIRS

FAMOSA POR UN DÍA.

Me llamo Fran y soy fan de Rihanna, navegando en internet encontré que comprando un producto de la marca que lanzó Rihanna, te ganabas un boleto para competir para pasar un día entero con ella.

Entonces compré una remera y me gané el cupón, este decía "Famosa por un día", me moría porque me tocara a mí, era mi sueño conocerla.

Empecé a buscar en la web como aplicar la ley de atracción.

Parecía muy claro, decía que en vez de concentrarse en lo malo, hay que enfocarse en lo bueno, pensar en positivo y visualizarte con tu sueño ya cumplido.

Llegó el día del sorteo, estaba muy ansiosa, eran miles y miles de personas participando por lo mismo, estaba segura de que por mucha ley de atracción que yo aplicara, era algo casi imposible.

Anunciaron en el instagram de Rihanna al ganador o a la ganadora, que en este caso, ¡GANÉ YO!

Me iba a ir a Estado Unidos a verla, no podía creerlo ,estaba muy emocionada, realmente la ley de atracción funcionó.

Me llamaron, coordinaron todo con su producción y ya al otro día salía mi vuelo, me fui a hacer las valijas más que rápido y emprendí vuelo a Nueva York.

Nueva York era alucinante, atractivo, con estilo.

Ni bien bajé del avión, me fueron a buscar en una limusina, y me llevaron a un hotel de lujo.

Me saqué un montón de fotos, y las subí a mis redes sociales.

En la noche tendría una cena con Rihanna, tenía que ponerme mi mejor atuendo, para eso había llevado mí vestido negro nuevo y unas sandalias hermosas haciendo juego con la cartera.

Ella se apareció de sorpresa en la habitación que yo estaba, yo gritaba de la emoción, nos filmaron, esto iba a salir en la televisión, no lo podía creer realmente.

Rihanna es muy simpática y más linda en persona, en la cena la pasamos de maravilla, ella pidió una extraña comida vegetariana ,mientras que yo pedí ñoquis con salsa filetto.

Después de la cena Rihanna tenía que dar un concierto y yo era invitada vip.

Me dejaron estar en el camarín mientras la preparaban, y después me dejaron ir al escenario con ella , eso sí que era sin duda el sueño de mi vida, fue lo mejor que me pasó ,lástima que duró tan poco ,luego me fui al hotel a dormir y al otro día ya partía a mi país.

Es algo que nunca voy a olvidar, así como no voy a olvidar de aplicar la ley de atracción, pues ya vieron las maravillosas cosas que suceden.

Piensa en positivo y todo irá bien.

VOCABULARY

SIMPÁTICA: NICE

ATUENDO: ATTIRE

MONTÓN: A LOT

REMERA: T -SHIRT

SORTEO: RAFFLE

COORDINARON: THEY COORDINATED

VALIJAS: LUGGAGE

LUJO: LUXURY

EL PROYECTO DE LITERATURA

Bautista está en segundo de secundaria, es un buen alumno, su materia favorita es literatura, justamente esa semana les mandaron como tarea domiciliaria un proyecto literario, donde debían escribir un poema sin importar la temática.

Bautista empezó a trabajar duro, a pensar y a inspirarse para escribir el mejor poema, si salía finalista, su obra iba a ser publicada en un libro junto con los demás finalistas.

Hizo un poema que decía así:

DAME UNA RAZÓN PARA CONTARLE.

REVÍVEME LA ESPERANZA,

QUE NO TODO ESTÁ PERDIDO,

DAME UNA ILUSIÓN.

TE HE IMPLORADO TANTO.

HAZME CON LA LUZ QUE ME DARÍAS, ALUMBRAR SU OSCURIDAD.

FORTALECER SU ESPERANZA Y AYUDARLA EN LOS SUEÑOS.

REVIVEME LA ILUSIÓN PARA ALIVIAR SU CORAZÓN.

NO QUIERO HUNDIRME EN CADA BARCO QUE NAVEGO,

TRAEME UN BARCO ESTABLE

PARA EDUCAR MIS EMOCIONES

DAME LA GRATITUD DE DEVOLVERLE A ELLA EL PEDAZO DE VIDA QUE ME DIO.

DÉJAME DEVOLVÉRSELO Y CAMINAR A LA PAR.

Bautista eligió un poema de verso libre donde expresaba sus deseos de mejorar en la vida y de devolverle a su madre todo lo bien que lo ha cuidado, y todo lo que ha hecho por ella.

Bautista salió en segundo lugar, por lo tanto estaba entre los finalistas, y así su obra sería publicada.

Cuando sea grande Bautista quiere ser escritor, y esto le dio un impulso importante, y se empezó a presentar en todos los concursos literarios que encontraba.

A los 18 años publicó su primer libro de poesía el cual se convirtió en best seller y se perfeccionó en literatura y en escritura creativa.

Sin duda vale la pena luchar por los sueños.

VOCABULARY

ALIVIAR: RELIEVE

REVÍVEME: REVIVE ME

NO TODO ESTÁ PERDIDO: NOT EVERYTHING IS LOST

OSCURIDAD: DARKNESS

ALUMBRAR: LIGHT

NAVEGO: I SAIL

DEVOLVERLE: GIVE BACK

ESCRITOR: WRITER

UN DÍA EN EL GIMNASIO

Mi rutina es levantarme todas las mañanas a las ocho am, me ducho, luego me visto y me preparo de desayuno una taza de yogur natural con cereales, un jugo de naranja y un café.

Trabajo desde la una pm hasta las nueve pm, por eso es que aprovecho las mañanas para mimarme y llevar un estilo de vida saludable. No bebo alcohol, no fumo, me cuido en las comidas y hago ejercicio.

Me preparo para el gimnasio con mi conjunto gris que me compré la semana pasada y salgo en moto en dirección al gimnasio.

Entreno de lunes a viernes .El ejercicio aparte de la estética, me hace bien, siento buen humor y mucha energía.

Mi rutina consiste en comenzar con diez minutos intensos de bicicleta fija para calentar el cuerpo, luego hago abdominales con pesas, despues de cada ejercicio estiro como corresponde.

Luego de los abdominales trabajo los glúteos, los brazos y las piernas.

Para finalizar, nado media hora en la gigante piscina que tiene el gimnasio.

Luego me voy a los vestuarios donde me ducho nuevamente.

Luego del baño me pongo el uniforme, me tomo un café en la cafetería de la esquina y después me voy a trabajar llena de energía y buen humor.

VOCABULARY:

RUTINA: ROUTINE

VISTO: GET DRESSED

VIDA SALUDABLE: HEALTHY LIFE

BEBO: DRINK

FUMO: SMOKE

BICICLETA: BIKE

ABDOMINALES: ABS

PESAS: DUMBBELLS

ESTIRO: STRECH

MI BEBÉ

Hace tres años que estoy casada con el amor de mi vida llamado Mike, vivimos en una ciudad pequeña pero en una casa muy grande.

Ahora que con Mike logramos comprar el auto y ya tenemos la casa, decidimos encargar un bebé.

Toda mi vida soñé con ser madre, nadie es perfecto, pero yo pensaba que sería una madre a casi perfecta.

Un día en mi trabajo, en la oficina, me sentí mal.

Hacía medio año ya que habíamos empezado a buscar un bebé, yo ya estaba muy angustiada, porque en medio año no lo habíamos logrado, el bebé no llegaba, yo más ansiosa me ponía, así que como quien dice, yo me di por vencida.

Volviendo al trabajo, me desmayé, urgente llamaron a la ambulancia, debido a que en mi trabajo son muy cuidadosos con el personal y la salud es lo primero, todos quedaron preocupados por mí.

¿Qué me pasaba?

En la clínica me hicieron muchos análisis para analizar las causas del desmayo.

Al rato viene una enfermera a decirme que tenía una noticia, sin esperar mucho me dijo: " Felicitaciones madre, estás esperando un bebé, estás embarazada de cuatro semanas.

Al escuchar a la enfermera me cambió la vida.

Decidí prepararle una sorpresa a Mike para contarle, no saben lo feliz que se puso.

El embarazo lo llevé muy bien, sin muchas complicaciones, decidí tenerlo por cesárea.

No hemos querido saber el sexo del bebé.

Esperaremos a que nazca, por lo tanto la ropa del primer mes será toda de color blanco.

Llegó el día de la cesárea, nos acompañaban los nervios, la ansiedad y la felicidad.

Por suerte todo salió muy bien, cuando preguntamos el sexo del bebé nos dijeron que era un varón hermoso.

¡Qué felicidad! , me lo pusieron en mi pecho, mi marido y yo sonreímos entre lágrimas de alegría.

¿Cómo le vamos a poner? (dije yo)

Luego de un largo diálogo, nos decidimos por el nombre Benicio.

Ahora si somos tres, somos muy felices.

¡Bienvenido a la familia Benicio!

VOCABULARY:

ANGUSTIADA: SAD

ENFERMERA: NURSE

DESMAYO: FAINTING

CESÁREA: CAESAREAN SECTION

MENÚ DE LA SEMANA

Soy Cristine, tengo 35 años, soy madre de dos hijos, una niña y un varón.

Soy madre soltera, es una larga historia, lo importante es que vivimos felices con nuestra pequeña familia.

Pero a la hora de las comidas siempre tenemos un problema, Gala es vegetariana, a mi me gusta el pescado, y a Ben le gusta la carne roja.

Obviamente con mi trabajo que me consume muchas horas diarias, no puedo poner a hacer más de 3 menús diario.

Entonces la solución fue contratar a una cocinera, Estela, una señora con gran experiencia en la cocina de todo tipo.

Y así nos preparó el menú semanal.

LUNES

CRISTINE: MILANESAS DE MERLUZA CON ENSALADA DE LECHUGA Y TOMTE

BEN: HAMBURGUESAS CON ARROZ

GALA: TARTA DE ZAPALLO

MARTES

CRISTINE: BRÓTOLA CON PURÉ DE ZAPALLO

BEN: PAPAS FRITAS CON CHURRASCO

GALA: BUÑUELOS DE LECHUGA

MIERCOLES

CRISTINE: PAELLA

BEN: SPAGHETTI CON SALSA BOLOGNESA

GALA: MILANESAS DE BERENJENA CON REMOLACHA

JUEVES:

CRISTINE: CAZUELA DE MARISCOS

BEN: PASTEL DE CARNE

GALA: ENSALADA DE VERDURAS

VIERNES:

CRISTINE: CARNE ROJA

BEN: NUGGUETS

GALA: CALABAZA NAPOLITANA

Así quedó el genial menú de Estela, ella además se lleva muy bien con mis hijos y algunas noches los cuida.

Los fines de semana salimos a comer porque yo tengo libre.

Ahora sí, tema de comida, solucionado.

¡Gracias Estela!

VOCABULARY:

PESCADO: FISH

ARROZ: RICE

ZAPALLO: SQUASH

BRÓTOLA: A KIND OF FISH

PURÉ: MASHED VEGETABLES

BUÑUELOS: FRTITTERS

CAZUELA: CASSEROLE

VERDURAS: VEGETABLES

DESCRIPICIÓN DE MI CASA

Soy Juan, tengo 14 años, vivo en una casa grande en la ciudad de Montevideo, Uruguay, más precisamente en la zona de Carrasco. Una zona de clase media alta, y clase alta.

Mi casa es de piedra gris, de dos pisos, tiene cinco dormitorios, tres de ellos en suite (con el baño en el cuarto), y dos baños sociales.

En los cuartos que tienen baño, hay bañera de hidromasaje.

Mi cuarto es grande, y tiene vista a la piscina climatizada, que de noche queda hermosa pues está muy iluminada.

En los días lindos de verano solemos juntarnos toda la familia y hacer comidas en la barbacoa mientras disfrutamos de la piscina y de buena música.

Tengo dos hermanos mellizos, ellos tienen su cuarto abajo.

Sin embargo mi dormitorio y el de mis papás están en el piso de arriba.

El cuarto de mis padres es el más grande de toda la casa, tiene un vestidor muy grande donde mi mamá y mi padre guardan toda su cantidad de ropa y colección de zapatos.

La cocina es pequeña pero moderna, hay un lavavajillas y muchos electrodomésticos más.

El comedor tiene una gran mesa de vidrio con capacidad para ocho personas.

También contamos con una sala de juegos donde hay play station, computadoras, juegos de todo tipo, un Smart Tv, y muchos juguetes para mis hermanos

Y por último tenemos una preciosa barbacoa donde hemos pasado momentos inolvidables.

Me encanta mi casa.

VOCABULARY:

HIDROMASAJE: WHIRLPOOL

VESTIDOR: DRESSING ROOM

ZAPATOS: SHOES

SALA DE JUEGOS: PLAY ROOM

LAVAVAJILLAS: DISHWASHER

ELECTRODOMÉSTICOS: HOME APPLIANCES

VIDRIO: GLASS

EL RESCATE DEL ZOOLOGICO

Un día soleado en España, los alumnos del colegio renombrado "Mariano Soler" tenían planeado un paseo.

Irían al zoológico más grande de la ciudad de Sevilla, había muchas especies de animales, desde aves hasta reptiles.

El paseo comenzaba con los leones, los niños estaban asombrados porque nunca habían visto ese tipo de animales salvajes, era la primera vez que visitaban un zoológico.

Vieron desde tigres hasta monos, aves, serpientes, lagartos, elefantes, elefantes marinos, tortugas, jirafas, a los niños les gustaba alimentar a los animales, aunque a algunos de ellos no, lo podían alimentar porque eran animales salvajes, por lo tanto peligroso.

El paseo culminaba con una comida compartida en el parque del zoológico.

Todos comieron felices, tomaron mucha Coca Cola y comieron un gran pastel de postre.

Al finalizar el día, debían hacer una actividad, que constaba en relatar su experiencia en el zoológico.

Cuando terminaron, todos los niños le entregaron los trabajos a la maestra y ella se los llevaría para corregir en su casa.

El resultado de la experiencia fue todo lo contrario a lo esperado, al leer los informes de los niños, todos manifestaron estar tristes porque los animales estaban en jaulas, encerrados, sin libertad.

La maestra comprendió, incluso sentía lo mismo.

Les propuso a los niños hacer movilizaciones para que liberaran a los animales.

La noticia se viralizó, y pronto llegó una solución.

Llegó a oídos del presidente la petición, el cual decidió clausurar el zoológico y exigió llevar a los animales a su hábitat natural.

Llegó el día, los niños quisieron ir a presenciar el rescate, demoraron varias horas en sacar a todos los animales y un proceso de una semana en levar a los animales a su hábitat natural.

Los animales corrían felices, volaban felices, los pájaros cantaban felices y emprendían vuelo hacia su mundo y naturaleza.

A partir de ese día nunca más se propuso en las escuelas que los niños visitaran los zoológicos, es más, fueron cerrando progresivamente y miles de animales quedaron libres.

Los niños hicieron una fiesta festejando la liberación de los animales.

VOCABULARY

SERPIENTE: SNAKE

AVES: BIRDS

MONOS: MONKEYS

LAGARTOS: LIZARD

COMPARTIDA: SHARED

ENCERRADOS: LOCKED UP

LIBERARON: RELEASED

LA JUGUETERÍA

En Uruguay los catorce de agosto se festeja el día del niño, donde se realizan muchas actividades en beneficio de los niños, hay actividades, bailes, entregan premios, participan las escuelas de un gran concurso donde deben de bailar y el grupo ganador se gana un viaje a las aguas termales de Paysandú.

Se estila que todos los niños reciban un regalo, también existen asociaciones que se encargan de recolectar juguetes usados para que todos los niños uruguayos tengan un juguete en su día.

La clase de Paula constaba de cuarenta niños y niñas, quienes realizarían la obra hermosa del mago de Oz.

Paula antes de ir al concurso ,le pidió a su mamá para ir a la juguetería y elegir su regalo del día del niño, y su hermano no dudó en pedir lo mismo, vieron desde muñecas ,bebotes, coches, autos a control remoto, bicicletas, computadoras, juegos de play station, pelotas, juegos de mesa , caballitos de madera.

Finalmente Paula se decidió por un bebé, de esos bebés que parecen reales, mientras que su hermano eligió una pista de autos, salieron felices y apurados para llegar al concurso.

Llegó la hora de la actuación de Paula y su clase.

Hicieron una magnífica interpretación, se llevaron muchos aplausos.

Así pasó toda la tarde entre actividades artísticas y comida para los niños.

A la hora de dar el veredicto salió ganadora la clase de Paula, los felicitaron por su gran labor. Estaban felices, los niños saltaban, festejaban que se iban de viaje a las aguas termales donde había muchas piscinas de agua caliente y hermosos juegos acuáticos.

El viaje sería en un mes, mes que pasó muy rápido.

Llegó el momento del viaje, todos debían reunirse fuera de la escuela con sus equipajes y sus respectivas familias quienes los iban a despedir.

Iban mas maestras para ayudar a cuidar a todos los niños.

Salieron en un ómnibus divino de dos pisos, sus caritas se notaban más que felices.

El viaje fue largo por eso se entretuvieron cantando canciones durante el trayecto, luego aprovecharon unas horas para dormir, hasta que por fin llegaron.

Wow, que lujo, era un parque acuático de lujo, había infinidad de juegos, los niños no veían la hora de poder ir a divertirse ,pero primero debían ubicarse en las cabañas, niñas con niñas, niños con niños, maestras aparte.

Antes de ir a las piscinas recorrieron el lugar y se sacaron muchas fotos.

Luego todos se pusieron sus trajes de baño y se fueron a la diversión, había toboganes, salvavidas, juegos de todo estilo, era diversión asegurada.

El viaje duró siete días, todo salió muy bien y les hizo un clima muy lindo.

Lamentablemente llegó la hora de partir, pero a su vez ya extrañaban a sus familias, partieron felices en la noche, todos durmieron durante el viaje, al llegar estaban todas las familias esperándolos, ellos muy felices, y sus padres también muy felices por sus hijos.

VOCABULARY

PREMIOS: AWARDS

AGUAS TERMALES: THERMAL WATERS

PARQUE ACUÁTICO: WATER PARK

TOBOGÁN: SLIDE

JUEGOS DE MESA: TABLE GAMES

PISTA: TRACK (CAR TRACK)

APLAUSOS: APPLAUSE, CLAPS

MI ABUELA CLARA

Mi abuela Clara es la persona que mas adoro en este mundo ,ella me cuidó siempre, me crió junto a mi mamá ya que mi mamá me tuvo muy joven ,eso no quiere decir que no ame a mi mamá , pero mi abuela fue fundamental en mi vida. Ella tiene seis años ,es rubia, alta ,de ojos celestes, tiene una voz grave, vive enfrente a mi casa.

Yo tengo 9 años y casi todas las noches me quiero ir a quedar con ella.

Por las noches solemos cantar canciones del cuaderno del coro al que ella va.

Es muy divertida y cocina muy rico.

Para mis 15 años mi madre me regaló una moto y mi abuela la fiesta.

Hice un gran cumpleaños donde habían quinientos invitados, de la decoración se encargó mi tía Ana que es decoradora, lo hizo en rosado y dorado, quedó divino el salón, cada centro de mesa era una vela aromática.

El menú era muy amplio al igual que la música. Había para todos los gustos.

La canción que elegí para entrar fue "Someone like you ".

Recibí un montón de regalos, pero el más significativo fue el de mi abuela clara, una medalla de oro con su nombre y el mío y un viaje a Australia, pero teníamos que ir juntas, pues claro que sí, que noticia más maravillosa.

La verdad estoy muy agradecida con todos, pasé muy bien, todos se divirtieron, hasta tocó una banda en vivo cantamos las canciones de rock del momento.

Fue inolvidable.

Llegó el día del viaje a Australia, mi madre nos llevó al aeropuerto, el viaje duraría mucho, pero yo me sentía feliz acompañada de mi abuelita, debo confesar que me asustan los aviones, pero era más importante hacer ese viaje.

En el avión nos dieron una riquísima comida y pasaban películas.

Desafortunadamente pasamos por una zona de turbulencias, me asusté mucho y empecé a llorar.

Mi abuela trataba de tranquilizarme y explicarme que eso era normal, que no iba a pasar nada.

Finalmente de los nervios terminé vomitando, mi abuela me dio una pastilla tranquilizante y por suerte se fueron las turbulencias.

Luego nos dormimos y cuando desperté ya estábamos legando a destino.

Australia era maravillosa, fue un viaje inolvidable, conocí los koalas que tanto deseaba conocer los canguros, aparte de practicar mi inglés.

El hotel era inmenso, las habitaciones también, a la mañana servían un riquísimo desayuno que nunca nos perdimos.

Conocimos muchos lugares y comimos en muchos restaurantes.

Gracias abuelita por esta experiencia maravillosa a tu lado.

Compramos muchos regalos para mamá y las hermanas de mis abuelas.

Pasamos excepcional.

Ojalá se repita y con mi abuela, claro.

VOCABULARY

CENTRO DE MESA: CENTERPIECE

TRANQUILIZARME: CALM DOWN

VOMITANDO: THROWING UP

AMOR DE TREN

Camila todos los días hacía un largo trayecto en tren hasta su trabajo.

Siempre le llamaba la atención una casa en particular, donde veía a un muchacho buen mozo, y se convirtió en ritual observar a ese hombre.

Un día se bajó en esa parada y fue a averiguar el nombre del hombre, Camila era un tanto obsesiva en cuanto al amor, se propuso que ese hombre iba a ser su marido.

Averiguó el nombre con la empleada doméstica de su casa, y lo memorizó bien para buscarlo en las redes sociales.

"Mauro Fillipa", buscar, encontró todo, era él, tenía su perfil púbico en instagram y observó todas sus fotos, se obsesionó de tal manera que por las fotos se dio cuenta de donde trabajaba, pero primero lo sorprendería por teléfono, afortunadamente él número de su oficina aparecía en su facebook, era un odontólogo de renombre, al revisar sus fotos, no parecía tener mujer, siempre se lo veía solo, entró en su información decía soltero, que alivio para ella.

Llamó e hizo un discurso de que era una clienta importante y que tenía que hablar con él urgente, y la secretaria accedió, le pasó la llamada.

Ella se presentó, le dijo que era una admiradora secreta muy bonita y que si deseaba conocerla ,lo esperaba en el bar de la esquina a las ocho de la noche y cortó.

Ella sin importar la decisión que tomaría él, ella se preparó, se produjo por horas para parecer como una barbie, necesitaba atraer su atención, ese era su nuevo objetivo.

Vale aclarar que Camila tenía un pasado de amores dependientes, le cuesta mucho terminar una relación, cuando empieza en una relación se obsesiona de tal manera que termina cansando a la persona, todos la dejan, por eso está traumada con el amor y es su único objetivo.

Llegaron las siete de la tarde, Camila ya pronta, muy sexy, con apariencia perfecta, y aunque él no fuera ella media hora antes se fue al bar de la esquina del trabajo de Morrison.

Esperó media hora y nadie vino, ya se empezó a estresar y chequeaba sus redes sociales para ver si había un movimiento, pero nada nuevo.

Se pidió un trago y lo tomó, tranquila por fuera, y enloquecida por dentro.

Hasta que alguien apareció de pronto en la puerta, era él, definitivamente era él, imposible confundirlo.

Ella le levantó la mano él se dirigió a la mesa.

"Hola misteriosa mujer "

Y así entablaron un diálogo que hasta se olvidaron que no habían pedido nada para comer, él la invitó a cenar pero a un lugar muy especial de lujo, ella accedió, su presa estaba cayendo en sus garras.

Tuvieron una velada maravillosa, donde ambos tenían química, aunque de todas maneras, muchas de las cosas de Camila eran fingidas para parecer totalmente perfecta a sus ojos y gustarle a primera vista.

Quedaron en verse otra vez, hasta que pasaron meses y comenzaron a salir de manera oficial, Camila empezó a tener una vida de lujo, lo que siempre soñó, ella no la amaba, era una mujer ambiciosa, deseosa de poder, quería ser la esposa del odontólogo de mayor renombre de la ciudad, quería una vida de rica, y así la tenía, sus caprichos eran cada vez más, y eran cumplidos por él.

Decidió hacer hasta lo imposible por enamorarlo completamente, hasta que un día salieron de su boca las palabras mágicas: "TE AMO; ¿Quieres casarte conmigo?". La cara de Camila era un poema, dijo que sí sin dudas, su meta ahora sería ir por sus bienes materiales una vez que se case, esperar un tiempo y divorciarse, solo tenía sed de dinero.

Se casaron, fueron a una exótica luna de miel a una isla de aguas verdes, cada foto que se sacaban parecía una postal, la pasaron maravilloso.

Así pasaron dos años hasta que Camila decidió que era el momento, pero resulta que a él le salió un trabajo millonario en un congreso de Alemania justo cuando lo iba a dejar, y esa cantidad de dinero no la iba a dejar pasar, así que esperaría.

La cuenta de banco de Morrrison se volvió extremadamente millonaria.

Ella creó una estrategia para dejarlo ,y le pidió el divorcio a los tres años de casados.

Finalmente llegó el momento de repartir bienes.

A Camila le tocó una mansión en las Vegas, otra en Argentina, dos auto de alta gama, y dos millones de dólares, se sentía más que satisfecha, porque ella no amaba, ella se nutría de dinero.

Fue así que se fue a otro país a vivir y se dedicó a ser una caza fortunas, ahora su objetivo era tener un hijo del hombre más rico de Italia.

¿Lo logrará?

VOCABULARY:

AVERIGUAR: FIND OUT

PARADA: STOP

OBSERVAR: WATCH

ODONTÓLOGO: DENTIST

RENOMBRE: RENOWN

OBJETIVO: GOAL

CASARTE: GET MARRIED

POSTAL: POSTCARD

BIENES: GOODS

ALTA GAMA: LUXURY CAR

CAZA FORTUNAS: FORTUNE HUNTER

LA CANTAUTORA

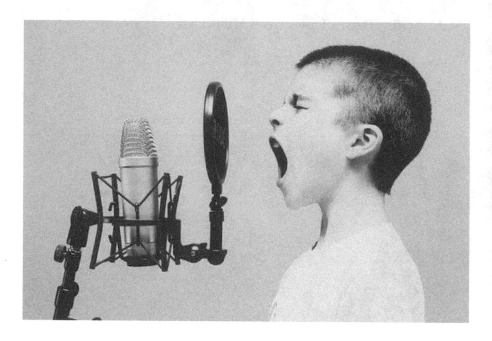

Eugenia era una chica argentina que debutó siendo actriz desde chiquita, empezó con telenovelas y hoy en día hace series y películas.

Desde que trabaja como actriz se introdujo en el mundo de la música, aprendió a tocar guitarra, pero su fuerte era cantar.

Hacía canciones tan bonitas que cualquiera que las escuchaba estaba de acuerdo en lo mismo.

Un día conoció a un compañero de intercambio de lenguajes Italiano, lo conoció virtualmente, y después de un año de amistad él le propuso una oferta de trabajo, teletrabajo como quien dice.

El trabajo consistía en vender canciones de habla hispana a extranjeros, ella sería, guitarrista y compositora y cantante.

Después de luchar dos años casi sin clientes, un día le pidieron una canción en español para la entrada al ring de un importante boxeador Estadounidense, él hizo el pedido, y ella creó la canción más linda que pudo hacer.

Más no se sentía segura de su trabajo, era un poco insegura, le costaba creer en su talento y no sabía si a Rigoberto el boxeador le iba a gustar.

Pues el hecho es que no solo le gustó, sino que le pidió que se vaya a Las Vegas a grabar el videoclip de la canción y a cantar para su productora por un año.

Tramitaron todos los papeles y sin dudarlo se fue, no solo grabó el video sino que cantó por todos los rincones de Las Vegas y se hizo conocida, empezó a ser contratada para hacerles canciones a muchos artistas famosos, a partir de ese día esa fue su profesión.

Ella decidió quedarse a vivir en Estado Unidos y tuvo una importante carrera hasta que después que hizo tantas canciones para tantos artistas, le llegó el momento de brillar, ella también se volvió famosa y a pesar de seguir componiendo para los demás, también componía para ella, y las más lindas canciones.

VOCABULARY:

FUERTE: STRENGTH

COMPOSITORA: COMPOSER

RINCONES: CORNERS

BRILLAR: SHINE

EL FUTBOLISTA

Jairo era un niño muy flaquito y de baja estatura, tenía 8 años, y soñaba con jugar al fútbol.

Jugaba todos los días con sus amigos en el llamado "campito" que en realidad era un terreno deshabitado de tierra donde se reunían a jugar.

Él era un goleador de primera, y veloz como una liebre.

Llamaron a convocatoria para unirse a dos clubes de fútbol diferentes, Jairo decidiría a cuál iba a presentarse ,porque él era hincha de uno de esos cuadros.

Llegó el día, se preparó, y al momento de dar la prueba le dijeron inmediatamente que estaba descalificado, debido a su estatura y delgadez.

Su madre luchó para que le cumplieran el sueño a su hijo, era realmente talentoso, pero no hubo caso. Entonces ya rendido se presentó en el segundo club, y al momento de dar la prueba, otra vez, no calificado por estatura y delgadez.

Jairo se sentía muy triste porque sabía que había futbolistas famosos de baja estatura y eran excelentes como Messi.

Entonces se bajoneó de una manera muy difícil, ya no quería mas jugar en el campito ni jugar al fútbol, tiró todas sus pelotas.

Hasta que pasado un mes se mejoró un poco y unos amigos lo invitaron a una cancha privada a jugar fútbol, habría mucha gente, accedió, otra vez se iba a reencontrar con su pasión.

Jugó como nunca, afortunadamente estaba uno de los hombres que lo descalificó, ahí quedó sorprendido, se dio cuenta de que realmente tenía talento, mucho talento.

Entonces se acercó a él y le ofreció sus más sinceras disculpas, y lo citó para una nueva prueba.

Jairo fue e hizo todo lo mejor que supo hacer, jugó magnífico, fue aceptado en el cuadro de fútbol quedó como delantero, así pasó hasta ser más grande y le ofrecieron un contrato en Italia.

Se fue, era su sueño cumplido, se convirtió en un goleador estrella, y ese año ganó el balón de oro.

Con todo el dinero que hacía ayudaba muchos a los pobres y tenía una fundación de animales de la calle que les daba albergue hasta que fueran adoptados por una familia responsable.

Hoy en día es una persona muy querida.

VOCABULARY:

TERRENO: LAND

DESHABITADO: UNINHABITED

UNIRSE: JOIN

ESTATURA: HEIGHT

BAJONEÓ: LOWERED

CANCHA: COURT

DISCULPAS: APOLOGIZES

CUADRO DE FUTBOL: FOOTBALL TEAM

ALBERGUE: HOSTEL

PIJAMADA

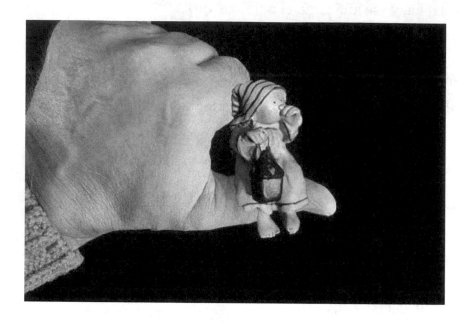

Mi nombre es Bianca, tengo 10 años, voy a quinto año de primaria, hoy tengo un súper cumpleaños que es una pijamada, va a haber sala de belleza, spa, peluqueras, pedicuras, manicuras.

Prometimos que a la primera que se duerma la despertamos con un vaso de agua fría en la cara.

El cumpleaños era el sábado pero hoy es jueves, y estoy muy ansiosa por el pijama party, nunca he tenido uno, ni he dormido en casa de nadie, a no ser de mis abuelas.

Teníamos que ir disfrazadas porque primero teníamos fiesta de disfraces en la piscina.

A mí se me ocurrió disfrazarme de Blanca Nieves, ya que era blanca como un papel y pelo negro como el carbón y unos labios rojos como una rosa.

Fuimos con mi madre al centro comercial a comprarme el disfraz, me probé como cinco, hasta que encontré el que me quedaba perfecto, yo estaba muy emocionada porque parecía realmente una princesa.

El viernes a la noche estaba más que ansiosa, tanto que no pude dormir hasta las cinco am, pero eso no importaba ya que el cumpleaños empezaba de noche.

Dormí hasta las dos de la tarde hasta que mi madre me llamó para ir a comprarle el regalo a Antonella.

Yo quería comprarle un conjunto de huevos LOL que estaban de moda, pero mi madre insistió con comprarle un buen perfume, así que lo elegimos, era el Jadore .

Luego nos fuimos a casa a almorzar bastante tarde, y luego a bañarme y aprontarme para irme.

Ese día mi niñera iba a hacer horas extra para ayudarme con todo el atuendo.

No puedo negar que yo soy una niña bastante consentida y me tratan como una princesa, es más, mi abuela me llama "princesita".

A la hora de aprontarme mi niñera me ayudó en todo, creo que estaba más hermosa que la cumpleañera.

Llegué y estaba lleno de chicos y chicas bailando alrededor de la piscina, tomando licuados frutales tomando helado.

Me integré a mi grupo de amigas y comenzamos a bailar, a mi me sacó a bailar el chico que me gusta, Blair, me sonrojé, pero bailé con él me gustó mucho.

Luego llegó la hora en que los varones se iban, todas las chicas nos sacábamos los disfraces e íbamos a empezar la pijamada.

Le pedimos a la mamá de Antonella para bañarnos en la piscina, la noche estaba ideal, y ella nos dejó, jugamos y nadamos como sienas en esa piscina enorme.

Luego Salón de belleza, manicura, pedicura, quedamos hermosas.

Pero no pudimos creer cuando nos dio por buscar a la cumpleañera y no la encontrábamos, hasta que en la cama que había en el living yacía dormida la bella durmiente, así que ahora a despertarla con un vaso de agua bien frío.

Al principio se enojó pero fue por el susto que le dio, luego nos pusimos a bailar a comer hasta que se hicieron las 5 de la mañana y decidimos irnos a dormir.

Pasamos hermoso y dormimos hasta las tres de la tarde, luego desayunamos y nos fueron a buscar nuestros papás, ahhh, me olvidé de contarles que a Antonella le encantó mi regalo, me dijo que era su perfume favorito.

Pasé mi primer pijamada genial.

VOCABULARY:

BELLEZA: BEAUTY

PIJAMADA: PIJAMA PARTY

BLANCA NIEVES: SNOW WHITE

LABIOS: LIPS

DISFRAZ: COSTUME

HUEVOS: EGGS

NIÑERA: NANNY

CONSENTIDA: SPOILED

LICUADOS: SMOOTHIES

NADAMOS: WE SWIM

LA NIÑA POBRE

Erase una vez una niña llamada Augusta , la cual vivía con sus padres y sus siete hermanos, eran sumamente pobres, a su padre apenas les daba para alimentar a todos sus hijos y la mamá los cuidaba, entonces no trabajaba.

Augusta soñaba cuando grande tener un buen trabajo para ayudar a su familia.

Le gustaba mucho diseñar ropa, hasta le pidió a su abuela que le enseñe a coser.

Así empezó a hacer sus primeras creaciones, tenían un buen estilo, eran lindas prendas, originales.

Cuando creció consiguió su primer trabajo en un supermercado, Augusta se dio cuenta de que algo no andaba bien, sentía mucha ansiedad y pánico antes de ir al trabajo, y durante el horario laboral se sentí muy mal, deseaba salir, volver a casa, pero al pensar que al otro día volvería a pasar por ese miedo, y se volvía a sentir mal, su felicidad duraba dos horas diarias, y en realidad eso no es felicidad.

Llegó un momento en el que ella estaba de cajera y se largaba a llorar en las cajas, delante de los clientes, no podía detener la tristeza, sus lágrimas simplemente brotaban, entonces la hacían retirarse y esto provocó problemas en su rendimiento y una encargada hizo lo posible hasta que la despidieron .

A partir de acá recién empieza la historia de Augusta , si hablamos de su vida laboral ,nunca más pudo sostener un trabajo, era algo patológico, debería tratarse o encontrar algo que no le produzca tanto estrés, él se sentía una persona especial y diferente ,no encajaba en los parámetros de la normalidad.

Siguió intentando, pasó por montones de trabajos, y más de un mes no duraba, se le estaba haciendo difícil la vida.

Pasó muchos años de pobreza con la frustración de no poder ayudar a sus padres económicamente.

Ella se refugiaba en la escritura, plasmaba todo en papel, tenía un diario íntimo, de hecho escribía muy bien, hacía desde libros hasta letras de canciones.

Un día en la playa conoció a un chico americano que se le acercó para pedirle fuego en inglés, ella lo entendió claramente porque sabía inglés, entonces empezaron a charlar, pasaron un buen rato, quedaron en salir al otro día.

Así pasaron juntos toda su estadía en su país, peo era hora de volver a Estados Unidos, Alan también era aficionado a la lectura y se compartieron varios textos.

Alan le sugirió que debía de trabajar de la escritura que podía ganar muy bien e incluso lidiar con sus problemas de una manera más fácil, el conocía un sitio web de escritura, donde se ofrecían millones de servicios.

Augusta se decidió por ofrecer servicio de traductora, de letrista de canciones, de escritora de libros, de escritora fantasma, y de Beta Reader.

Tuvo mucha suerte le fue muy bien, se salvó, Alan le salvó la vida que ella no podía arreglar, así empezó a tele trabajar de una manera pacífica, y así pudo ayudar en demasía a su familia.

VOCABULARY

HERMANOS: SIBLINGS

DISEÑAR: DESIGN

ROPA: CLOTHES

MIEDO: FEAR

BROTABAN: FLOWS

DESPIDIERON: FIRED

DIFÍCIL: HARD

PLASMABA:

PLAYA: BEACH

ESTADÍA: STAY

AFICIONADO: FAN

DEMASÍA: EXCESS

EL HOMBRE QUE DEJÓ DE FUMAR

Esta es una historia muy breve que cuenta la historia de Miro, Miro era gran fumador, fumaba tres cajas de cigarros por día, su familia estaba muy preocupada.

A él se lo notaba cansado, sin aire, pero no podía dejar el cigarrillo, es muy adictivo y muy nocivo para la salud.

A Miro lo enseñaron a fumar desde muy joven y una vez que lo probó, jamás lo pudo dejar.

Se enteraron que iban a tener un bebé, pero era un embarazo de alto riesgo, no se sabía si el niño sobreviviría, entonces Miro hizo una promesa, si el bebé se salvaba, él dejaba el cigarrillo.

Pasaron los meses, Helena tuvo muchas complicaciones en el embarazo y permanecía en quietud completa.

Pero afortunadamente llegó los 9 meses y nació un hermoso bebé a la cual le pusieron Milagros.

Desde ese día Miro dejó de fumar y lleva una vida muy saludable.

VOCABULARY:

CANSADO: TIRED

NOCIVO: HARMFUL

QUIETUD: STILLNESS

LA MODELO

Una chica Parisina soñaba con ser modelo, era alta, muy bonita, de ojos claros y pelo morocho, además de tiene un cuerpo magnífico, era la perfección en persona.

Esa semana se iba a postular para ser modelo para un Hotel cinco estrellas donde iban muchas celebridades y se festejaban eventos de moda.

Hannah fue a la prueba, donde debía sacarse varias fotografías en distintos contextos y distinta ropa, y una vez que evaluaran a todas las chicas que fueron ese día se elegirían las mejores.

Se lo iban a comunicar vía mail. Así que todos los días revisaba su mail sin tener noticia alguna, y dejó de chequearlo por unos días.

Cuándo entró al mail por otro asunto, vio el mail de la agencia.

Hannah había quedó seleccionado como modelo exclusiva de la agencia Multitalent.

Estaba muy contenta, empezó en pequeños desfiles, le costó conseguir la fama, hasta que desfiló en la semana de la moda de parís y un diseñador la eligió como modelo de la campaña de ropa otoño invierno.

A partir de ahí, los contratos no pararon de caerle, se hizo muy famosa, y se postuló a Miss Mundo ganando el tercer puesto.

"Cuidado con lo que sueñas "se puede hacer realidad.

VOCABULARY

ALTA: TALL

BONITA: PRETTY

CLAROS: CLEAR

OTOÑO: AUTUMN

CONTRATOS: CONTRACTS

EL HOTEL CIELO

Dos hermanas que se llevan poca edad, recibieron una herencia importante de su tío, el cual no tenía hijos, por eso la herencia les correspondía a ellas.

Era un tío desconocido, por eso ellas no estaban tristes.

A su vez estaban en un momento crítico de su vida en el ámbito económico, y esa herencia les permitiría poner un negocio y liquidar las deudas.

Entonces pensaron que podían poner, y llegaron a la conclusión de que un hotel era la mejor inversión.

Cobraron la herencia y empezaron a buscar un lugar donde poner el hotel.

Encontraron un terreno muy grande en el centro, era perfecto, entonces lo compraron.

Pasaron muchos meses para que el hotel quedara pronto, eligieron una decoración de cielo, nubes, empapelados de cielo y todo en color celeste.

Y por supuesto, el nombre que le iban a poner al hotel era "Hotel Cielo".

El hotel constaba de cuatro pisos, decorados todos de color celeste.

En el cuarto piso se encontraba el gimnasio la sala de computadoras, y el lugar donde servían el desayuno.

En la azotea prepararon una hermosa barbacoa donde en temporada alta hacían conciertos varios cantantes del lugar.

Tenía guardería y sala de juegos, además de un restaurante y servicio de habitación.

Fue calificado como uno de los mejores hoteles de ciudad en cuanto a infraestructura y todo en general.

Las hermanas fundaron una empresa muy productiva y exitosa, tenían muchos huéspedes, siempre estaba agotado, era muy concurrido.

Como les fue tan bien, decidieron poner otro hotel en la capital de la ciudad, también lograron mucho éxito, hasta formar la cadena nacional de hoteles "Cielo".

VOCABULARY

MOMENTO CRÍTICO: HARD MOMENT

NEGOCIO: BUSSINESS

LIQUIDAR LAS DEUDAS: PAY THE BILLS

CIELO: SKY

EMPAPELADOS: PAPERS OF DECORATION FOR WALLS

AGOTADO: TIRED

CONCURRIDO: CROWDED

EL ACCIDENTE DE MOTO

Un día de mucha lluvia y tormenta, Gabriel y su amigo Felipe salen en moto para ir a la casa de otro amigo que quedaba en el campo, los padres de ambos estaban muy preocupados, peros estos jóvenes ya mayores de edad no hicieron caso y se fueron bajo una tremenda tormenta.

Los padres les pidieron que avisaran enseguida que llegaran, el viaje duraría media hora.

Pasó media hora y aun no habían avisado, ya lo harían.

Pasó otra media hora y no avisaban, entonces la madre de Felipe lo empezó a llamar pero ninguno atendía.

Hablaron con Federico que los saliera buscar, que ellos harían lo mismo.

Federico salió más que rápido en caballo a buscarlos ,hasta que ve movimiento al kilómetro siguiente , se apura ,llega ,y eran ellos ,tirados ,desmayados en la ruta ,había un pozo enorme de barro ,parecen haber resbalado.

Atrás vienen llegando los padres, entre gritos y llantos, llamaron a la ambulancia, no los querían tocar por las dudas que tuvieran una lesión grave.

La ambulancia llegó, ellos estaban despertando, no tenían muchas heridas, sino al parecer, golpes en la cabeza y Felipe una pierna quebradura.

Los atendieron de urgencia, y sí, definitivamente se había quebrado una pierna, la recuperación iba a llevar un par de meses.

En cuanto a x le hicieron estudios a la cabeza y no tenía más que golpes

Estuvieron una semana internados y los padres los rezongaron, les hicieron tomar consciencia que no se puede arriesgar con el clima así. Ellos entendieron incluso le tomaron miedo a las motos, y a partir d ahora se manejaban en bicicleta o autobús.

Pero de los errores se aprende.

VOCABULARY

LLUVIA: RAIN

TORMENTA: STORM

CAMPO: COUNTRY

PREOCUPADOS: WORRIED

TREMENDA: BIG

POZO: WELL

RESBALADO: SLIPPED OFF

RECUPERACIÓN: RECOVERY

ARRIESGAR: RISK

ERRORES: MISTAKES

HISTORIA DE AMOR

Agustina y Germán se conocieron en la facultad, ambos estudiaban abogacía, al principio no se llevaban bien, es más, ni se hablaban.

Pero después entre ellos nació una gran amistad, andaban para todos lados juntos, la gente les decía que parecían novios.

Focalizándonos en Agustina, ella era muy enamoradiza y ya estaba cautivada por Germán.

Y focalizándonos en Germán, er aun chico muy bueno que soñaba con tener una familia.

Pasó el tiempo, siguieron siendo amigos, hasta que una noche pasados de copas, se besaron.

Él le confesó su amor, y ella no se quedó atrás.

A partir de ese día tiene una hermosa relación donde hay respeto y amor, ambos se están por recibir de abogados y piensan pone un estudio jurídico juntos.

Pasados dos años desde que se recibieron, Germán decidió proponerle matrimonio a Agustina.

Ella dijo que si, era el amor de su vida.

Agustina soñaba con un vestido color blanco, corte de princesa, en el pelo un recogido y unas largas caravanas, por último unos zapatos color crema con piedras brillantes.

La decoración que ella eligió fue en blanco y negro y dorado.

Quería una fiesta de ensueños, de princesa, como siempre lo soñó.

La canción que eligieron para entrar fue "Melodía desencadenada".

De la comida se encargaba la panadería del mejor amigo de Germán, tenían una mesa fría, platos calientes, lunch, mesa de postres y desayuno.

Todos hablaban de lo hermosa que estaba la decoración y la novia.

Hacían una pareja hermosa.

Ella era rubia de ojos negros, y él era morocho de ojos verdes. De luna miel eligieron ir a playas paradisíacas.

Hicieron un montón de actividades acuáticas, tomaron sol, comieron mucho, disfrutaron de su amor, se sacaron muchas fotos.

Pero se habían ido solo por una semana y Agustina quería estar más tiempo, entonces a la caprichosa se le cumplió el deseo y se quedaron quince días más. Llegaron muy bronceados, con todas las energías para empezar a ejercer la abogacía.

VOCABULARY:

AMISTAD: FRIENDSHIP

PASADOS DE COPAS: DRUNK

ABOGADOS: ATTORNEY

CARAVANAS: EARRINGS

MOROCHO: DARK

LUNA DE MIEL: HONEY MOON

CAPRICHOSA: WHIMSCAL

MI TATA

Mi abuelo es el mejor del mundo, es muy bueno y sobretodo muy divertido.

Está divorciado de la abuela Susana, pero se llevan muy bien, aunque mi abuelo tiene otra esposa (Laura) que también la considero mi abuelita.

Mi madre es neuróloga y mi padre es contador, ellos trabajan mucho, por lo tanto tengo muchas niñeras, pero mi Tatai siempre llega a salvarme el día y me saca a pasear en su camioneta gris. Hoy nos fuimos de shopping, un shopping al aire libre donde hay muchas cosas para hacer, como por ejemplo ir a la sala de juegos, donde hay de todo para entretenerse.

Le pedí a mi abuelo que me comprara un ticket para jugar y así lo hizo.

Jugué toda la tarde, salté en camas elásticas, en castillos inflables, anduve en calesita, me subí a un avión de juguete pero tan grande que parecía de verdad.

Luego el Tatai me llevó a tomar un helado, un rico helado de frutilla y chocolate.

Luego recorrimos el shopping, anduvimos en el ascensor panorámico y luego ya era hora de irme a casa a merendar y a que mi niñera me preparara el baño para bañarme ,pero cuando llegué a casa hice un berrinche, no me quería quedar en casa porque me sentía sola, me quería ir a dormir a lo del Tatai con él y la abuelita Laura.

Mis papás me dejaron ir, pero primero debía bañarme y hacer la mochila.

Laura mi niñera me preparó el baño, encendió el aire caliente, me preparó la bañera, y me bañé.

Cuando salí del baño, Laura ya me había preparado la mochila, nos fuimos.

Cuando llegamos a lo del Tatai vimos el auto de la tía Fernanda y el tío Julio , habían ido a cenar ,me recibieron muy bien, yo era la consentida de la familia.

Prepararon la cena entre todos, mi tío y mi abuelo asaban la carne y Laura y la tía Fernanda hacían riquísimas ensaladas.

Cenamos, pasamos un lindo momento, hasta que me dio sueño, y le pedí al Tatai para irme a mi cuarto y que además al otro día tenía escuela y tenía que hacer un deber antes.

Entonces el Tatai me llevó al cuarto, me dijo lo mucho que me quiere, me dio el beso de las buenas noches y apagó la luz de mi cuarto, yo me sentía feliz, había pasado un día muy hermoso lleno de amor.

VOCABULARY:

CASTILLO INFLABLE: INFLATABLE CASTLE

CALESITA: MERRY –GO-ROUND

AVIÓN: AIRPLANE

HELADO: ICE-CREAM

FRUTILLA: STRAWBERRY

ASCENSOR: LIFT

BERRINCHE: TANTRUM

EL NIÑO ADOPTADO

Manuel es un niño al cual sus papás abandonaron cuando era bebé recién nacido.

Lo dejaron en la puerta de un iglesia, se murmuraba en el pueblo que ellos eran muy jóvenes y no tenían recursos para hacerse cargo del.

Lo dejaron a la medianoche para que nadie los viera, lo dejaron y tocaron timbre y se fueron corriendo.

Cuando la Pastora abre la puerta se encuentra con un bebé muy pequeño, llorando, en una canasta de mimbre.

La Pastora llamó a su marido inmediatamente para pedirle ayuda, el bebé parecía hambriento y tenía frío.

Lamentablemente el bebé sentía la falta de su mamá y no paraba de llorar.

Los pastores no podían dormir por las noches porque Manuel nunca paraba de llorar.

Eso les partía el alma, como alguien sería capaz de abandonar a un bebé.

Un vecino un día se acercó a hablar con los pastores y les confesó que vieron a una pareja muy desprolija y de mal aspecto dejando al bebé y salieron corriendo.

El vecino si los veía reconocería sus caras, pero no se vieron más en el pueblo.

Pasaron tres meses, Manuel estaba gordo y sano y ya no lloraba por las noches.

La pastora tenía la esperanza de que lo vengan a buscar algún día, ya que no podían hacer semejante atrocidad.

Mas siguió pasando el tiempo y nadie reclamó a Manuel.

Entonces decidieron darle sus apellidos y adoptarlo como hijo propio.

Manuel es pelirrojo, tiene pecas y ojos celestes, es hermoso, es muy feliz con esta familia, pasó el tiempo y nunca nadie le contó a Manuel la verdad, él creía que era hijo biológico de los Pastores.

Tal vez estaban cometiendo un grave error, e no contarle su pasado a Manuel.

Años después Manuel estaba jugando a la pelota con sus amigos, ya tenía seis años, cuando una pareja se le acercó y sin que nadie se diera cuenta se lo llevaron.

Manuel comenzó a gritar, mas nadie lo escuchaba, estaban lejos.

El niño lloraba sin consuelo y cundo en la escuela se dieron cuenta de que faltaba Manuel, le avisaron enseguida a sus padres. Estos llegaron más que rápido, lo irían a buscar por todo el pueblo, que muy grande no es de hecho.

Mientras ya habían buscado en casi todo el pueblo, aun les faltaba recorrer el camping que está a las afueras del pueblo.

Cuando fueron, vieron una casa rodante, la única que había, ya que no era época de vacaciones.

Los pastores hallaron raro y se acercaron en silencio, se podían escuchar voces, y había un niño llorando.

¡Era Manuel!

La pastora golpeó la casa como una loca, hasta que le abrieron, ella se metió para adentro gritando donde estaba Manuel.

Y ahí empezaron a decirles que ellos eran sus padres biológicos que con ellos se quedaría el niño.

Ahora ellos estaban bien económicamente para hacerse cargo de él.

Pero Manuel lloraba ,no quería quedarse con ellos, pero más lloraba porque no sabía que sus padres no eran sus padres, pero en realidad los consideraba sus padres, es más ,esa gente era desconocida para Manuel, el manifestó querer irse con sus papás adoptivos a pesar de su enojo.

Los padres se resistieron pero llamaron a la policía para explicar la situación, y se inició un juicio por la custodia de Manuel.

En el juicio los padres adoptivos de Manuel habían ido con muchos testigos para que declararan a su favor, mientras que los padres biológicos no tenían ningún testigo.

Primero se les mandó a hacer una muestra de ADN saliendo como resultado que sí, que Manuel era hijo biológicos de quienes decían ser los padres.

Ahora se procedería al juicio.

Los pastores estaban muy tristes no querían que esto hubiera sido así, ni que Manuel sufra, solo lo hicieron por su bien, para que no sufriera porque sus padres verdaderos lo habían abandonado.

Finalmente se le preguntó al niño con quien quería vivir, este manifestó que con sus padres adoptivos, que a los otros padres no los conoce y no se sentía bien a su lado.

Y lo lindo de esta historia es que Manuel perdonó a sus padres biológicos ,los empezó a ver, a frecuentar, pero nunca se fue del lado de sus papás adoptivos que según Manuel había un vínculo mucho más fuerte y de toda la vida.

Así que esta historia terminó feliz, y cabe aclarar que Manuel también perdonó a los pastores por haberle mentido.

VOCABULARY

RECIEN NACIDO: NEW BORN

ESPERANZA: HOPE

ATROCIDAD: ATROCITY

PELIRROJO: RED HAIR

PECAS: FRECKLES

GRITAR: SCREAM

DESCONOCIDA: UNKNOWN

JUICIO: TRIAL

COVID

En 2019 la humanidad no sabía que nos iba a cambia la vida, cuando a un chino se le ocurrió comer un murciélago.

Llegó el covid un virus altamente contagioso que rápidamente se esparció por todo el mundo dejando muchas personas sin vida, muchos internados, cada vez más casos.

En mi país comenzamos bien, al principio la Pandemia Mundial nos asustó a todos, y nos encerramos en nuestras casas y demos de tener contacto con seres queridos y amigos.

El panorama era aterrador, pensé que nunca iba a llegar a mi país y nunca me hubiese imaginado ponerme tapaboca.

El virus era tan contagioso que si lo tenías podías contagiar a mucha gente en poco tiempo, por eso debías de permanecer aislado de l sociedad, lo que es conocido como cuarentena.

Mi país iba muy bien, llevaban el virus casi que controlado, dando casos cero positivos en varios días, pero la pandemia se extendió, creció el turismo interno ya que las fronteras estaban cerradas y con esto se fue todo de control, el virus se esparció por todo el país quedando varios departamentos en zonas rojas con las camas de CTI saturadas, e hisopados masivos.

Mi experiencia con este virus fue mu fe, me quede sin trabajo, pasé grandes dificultades, pedí amigos, me deprimí, no vi a mis seres queridos en mi cumpleaños, creo que esta pandemia afecta un poco mentalmente, ya que somos seres sociales por naturaleza, y demás me tenía que acostumbrar al uso de tapabocas, que al cabo de dos meses ya se me hizo una costumbre.

Yo vivía con mi novio en un mono ambiente, él trabaja en un supermercado.

Meses ya después de la pandemia que aun seguía matando gente ,un día llegó mi pareja de trabajar y al rato le llega un mensaje diciendo que se tenía que ir cuarentena porque tuvo contacto con dos casos positivos, yo me quería morir, sin trabajo y ahora en cuarentena.

No nos fue nada fácil pero sobrevivimos, al final nuestros hisopados dieron negativos.

Y en el Uruguay llegó un momento que la gente se dio por vencida, se cansó de cuidarse, se acostumbro al virus, y ahí empezaron los contagios masivos.

Retrocedimos, el presidente estaba muy angustiado porque no quería hacer cuarentena obligatoria debido a que mucha gente se quedaría sin trabajar ¿y como íbamos a sobrevivir así?

El presidente exhortaba al distanciamiento social.

Todo este caos continuó, a mí me tocó vivir una segunda cuarentena, parece que esta pandemia se había llevado mi vida social, laboral, y mi salud mental.

Por suerte la segunda cuarentena fue más corta, espero por no volver a pasar por otra.

Ya llegaron las vacunas, varios integrantes de mi familia ya se vacunaron, por suerte nunca tuve covid, y ya me agendé para vacunarme.

LA MERIENDA COMPARTIDA

Hoy en la escuela se festeja que ya no tendremos clases virtuales, sino presenciales, todos en la escuela debíamos ir de tapaboca, y la hora de la merienda alejarnos ,sacárnoslo y merendar tranquilos y distanciado. Pero ese día era muy diferente, y todos estábamos vacunados contra el Covid, y celebraríamos a lo grande.

En el patio había un puesto de panchos, otro de hamburguesas, otro de papas fritas, otro de refrescos, y otro de golosinas.

Nosotros no teníamos que llevar nada, todo lo brindaba la escuela, hacía un año que no nos veíamos con mis compañeros.

Estábamos muy felices jugamos con nuestros amigos como nunca.

Se nos hizo corta la jomada escolar, ya queríamos que fuese el otro día para volver estar juntos, para volver a la normalidad, que ya parecía lejana.

Por suerte ese mes era el cumpleaños de Francesca y lo iba a festejar, era el primer cumpleaños que tendríamos en un año.

Como Francesca y su familia debido la Pandemia, no estaban muy bien económicamente, pues el papá que era quien más traía plata a la casa se había quedado sin trabajo, entonces los abuelos de Fran y sus tíos, pusieron todo para el cumpleaños.

Se lo hicieron en un club, la temática fue he Harry Potter, hubo un show de magia, y un banda que cantaba canciones muy conocidas y bailables para niños de nuestra edad (ocho años).

Corrimos, jugamos, saltamos, nos abrazamos, nos dimos besos, compartíamos hasta los vasos, era como un desesperación por volver a la normalidad.

Por suerte ya no hay mas pandemia, al menos la de este tipo, y eso nos ponía muy pero muy contento.

La vida normal y los viajes, otra vez eran posibles.

VOCABULARY

FESTEJABA: CELEBRATED

TAPABOCA: MASK

MERENDAR: TO SNACK

COMPAÑEROS: CLASSMATE

ABRAZAR: HUG

INTERCAMBIO DE CASAS

Feliz y ansiosa por hacer un nuevo viaje, me uní a una página donde intercambian casas en todo el mundo, no se paga hospedaje, yo me quería ir a Londres así que hice un posteo y promocioné mi casa que estaban en las más hermosas playas de Uruguay.

Me contactó una familia que era de Londres, una pareja sin hijos, la cual estaba interesada en prestarme su casa y que yo les preste la mía.

Hicimos todos los arreglos y trámites correspondientes, pasajes, todo lo que incluye un viaje, y partí rumbo Londres, era una experiencia nueva para mí, pero a la vez una muy buena solución lo de no tener que pagar hospedaje, era genial, significaba que podía viajar muchos lados y evitarme los costoso de las estadías en hoteles, hostels.

En Londres hacía frío, en Punta del Este hacía calor, todo pintaba ser genial, de hecho así fue. Pero tuve un pequeño inconveniente para llegar a la casa, me tomé un taxi y la dirección estaba mal, me tuve que i a par a un hotel por un día y comunicarme con esta gente para saber bien la dirección ya que tenía las llaves.

Logré contactarlos ,y me explicaron bien donde era la casa.

Entonces a la mañana siguiente llamé al mismo taxista quien me pareció muy simpático y buen mozo, cabe destacar que yo era soltera y estaba de viaje .Así, me pasó a buscar, le expliqué bien me levó a la casa, me esperó para cerciorase de que todo estuviera en orden.

Hacía mucho frío, pero la casa tenía una inmensa estufa a leña y mucha leña para gastar por cierto, así que el frio no sería mi problema.

Esa tarde salí al supermercado a hacer un surtido de todas las cosas que pensaba comer en la casa aunque algún día obviamente iba salir a pasear, a cenar y a bailar por ahí.

Por casualidad me encontró el mismo taxista, quien muy contento de encontrarme ,se presentó, me dijo su nombre, su edad, su situación sentimental.

Yo al parecerme simpático también le conté cosas mías, parecía que había química, me preguntó qué haría en la noche y le dije que iba a hacer unas pizzas a la parrilla y tomar un vino al lado de la estufa maravillosa.

Me dijo que era un muy buen plan, que que pena que no estaba invitado.

Yo sonreí, por más simpático y buen mozo que fuera no lo podía dejar entrar a mi vida así como así, hoy hay que tener mucho cuidado con la gente.

En la tardecita encendiendo el fuego me di cuenta de que me había olvidado del vino, entonces llamé a Mathew él cual apareció enseguida con una botella de vino, no me la quiso cobrar.

Entonces mi cortesía fue invitarlo un rato conmigo tomar una copa y tal vez comer pizza.

La pasamos tan bien contando historias al lado del fuego, lo conocí mas, me di cuenta que no era alguien peligroso, que me estaba gustando.

Me puse nerviosa e hice que se fuera.

Pasaron dos días y o esa noche iba a ir un baile de moda de Londres, me preparé, ésta vez no llamé a Mathew sino que me alquilé un auto ya que estaban a precios razonables.

Y me fui de recorrida por toda la ciudad hasta que llegué al baile, no voy a negar que me sentía rara entre toda esa gente que de pronto vi una cara que me parecía conocida entre tantos extraños sí, era él.

Mathew se acercó, me sacó a bailar, nos divertimos mucho, luego me quiso llevar a casa pero yo le dije que ya había alquilado un auto.

Al otro día en la tarde, tocan timbre, era Mathew con un ramo de rosas para la más hermosa, eso decía la tarjetita de su dedicatoria.

Me estaba enamorando y no era en el lugar ni con la persona correcta.

En una semana me volvería y nunca más sabría de él.

Pero tengo que contarles que tuvimos un romance, un romance puro e intenso, que no me iba a ser fácil dejar, el día que me fuera.

Nos hicimos novios pero mientras yo estuviera allí.

Paseamos, vivimos, disfrutamos, nos reímos.

Hasta que llegó el día de irme ,debí volver al trabajo, y a mi rutina, pero como me gustaría quedarme con Mathew .Realmente estaba enamorada.

Decidimos llamarnos siempre y él en dos meses me iría a visitar, vamos a ver en qué termina esto, pero no hay imposibles en la vida.

Me llevó al aeropuerto, se despidió llorando, pero prometió en dos meses volver a estar juntos.

Me fui, con el recuerdo del amor más intenso que tuve, de este amor más grande que el planeta.

¿Quién sabe? Capaz que Mathew deja todo y se viene de taxista a mi país, ¿no? , o tal vez o traslade mi estudio allá, la verdad a no imagino la vida sin él.

Cambiando de tema, el intercambio de casas fue de las mejores experiencias que tuve, estaba todo tal cual lo había descripto, ahora ya lo tendría en cuenta para mi próximo destino.

VOCABULARY:

SIMPÁTICO: SYMPATHETIC

SURTIDO: ASSORTMENT

SUPERMERCADO: MARKET

LEÑA: WOOD

ESTUFA: FIREPLACE

TIMBRE: DOORBELL

INTERCAMBIO: EXCHANGE

AU PAIR EN CANADÁ

Soy Candela, tengo diecinueve años, acabo de graduarme en la secundaria, y antes de empezar una carrera universitaria, me gustaría viajar tres años por el mundo como Au Pair Lo hablé con mis padres, me aconsejaron que elija una agencia que son las que te consiguen familias de bien, porque si vas sin agencia, es muy riesgoso todo y no tienes derechos que te amparen.

Empecé con el trámite del pasaporte, de la cédula de identidad nueva, de la visa.

Necesitaba la visa porque mi primer destino iba a ser Canadá y requieren visa para entrar al país.

El trabajo de Au Pair era como el de una niñera pero con intercambio cultural, por ejemplo de habla hispana, y me iba a ir a un país de habla inglesa para practicar mi inglés y enseñar mi español, te dan alojamiento, plata mensual, y hay que cuidar de los niños y de los que haceres de la casa.

Hice match con una familia de Canadá, ellos quedaron encantados conmigo, y yo con ellos, tienes adorables trillizos.

Una vez que me dieran la visa acordaría fecha de vuelo, lo cual sucedió bastante rápido y así me fui, por tres años, iba a viajar por el mundo, era mi máximo deseo, conocer otras culturas, viajar.

Luego de seguro que me enfocaría en estudiar profesorado de Literatura, pero antes iba a disfrutar.

Me fui, cundo bajé del avión e ingresé en el aeropuerto había un familia con tres niños que tenían un cartel con mi nombre, eran ellos, a primera vista parecían muy agradables.

Me sentí un poco incómoda durante el viaje a la casa debido a que no sabía que hablar, y me daba vergüenza que mi inglés fuera inentendible, pero ellos rompieron el hielo cuando me hicieron un chiste, todos nos reímos. Los mellizos tenían 7 años, iban un colegio por seis horas diarias de lunes a viernes.

Me mostraron mi habitación ,que no era solo un habitación ,era un mono ambiente para mi totalmente equipado ,afuera de la casa, me encantó, porque siempre fui un poco reacia a dormir e casa ajena, así que parece ir todo muy bien hasta ahora.

Me indicaron todo lo que tenía que hacer y me hicieron una libreta con los horarios de las clases de los niños sus actividades extracurriculares.

Los niños eran muy desobedientes, me costó tres meses que se adaptaran a mí, fue un poco difícil, pero hay que perseverar, y todo fue cambiando, hora me hacían caso, jugábamos, nos divertíamos mucho.

También me dieron un auto para mí, y mi primer día libre salí dar una vuelta por la ciudad, que divinas rutas, que divino lugar, no me arrepiento de esta decisión que tomé.

Hace ya cinco meses que estoy en esta casa con esta familia, y puedo decir que soy un miembro más, me tratan muy bien y me incluyen en todo.

Empecé a tomar un curso intensivo de inglés, perfeccionarlo, quería un inglés como el de un nativo.

Ya pasó un año y se me termina el contrato, y busqué otra familia, esta vez en Alemania, ahorré plata y eso me permitiría costear los pasajes que eran bastante elevados.

Debo admitir que vivir en Canadá me mejoró mucho mi inglés, mi oído se había afinado, entendía todo perfecto, y mi pronunciación cambió.

En Alemania me tocaría un matrimonio con cuatro niños, de las siguientes edades:

Valerie nueve años.

Francis seis años

Amy cuatro años

Adele 1 año y medio.

Mi familia de Canadá me hizo una fiesta de despedida, llore mucho, me conmovió, yo le había tomado un cariño muy importante a sus hijos al igual que a ellos, se portaron excelente conmigo, y me hicieron un regalo, un cheque de diez mil dólares para comprarme un auto.

No lo podía creer.

Me llevaron al aeropuerto, o empezaría a trabaja en un mes, pero me iba a antes a viajar y a disfrutar para después empezar con todas las energías, además que uno de mis objetivos de viajar y disfrutar, no solo trabajar.

Me iba al norte de Italia, a Venecia, ese lugar rodeado palacios renacentistas y góticos.

Solo había canales, no tiene caminos.

Venecia abarca más de cien islas pequeñas en un algún lugar del mar Adriático.

Me encanta su arquitectura ,sus góndolas ,tanto de día como de noche .

Me parece sin duda una de las ciudades ms románticas de Europa junto con París.

LA ISLA

Cuenta la historia que hace cincuenta años, una familia que viajaba en un bote casero se perdió en altamar y desembocaron en una isla desierta. La familia está compuesta por ambos padres y dos hijos, una niña y un varón.

Hacía un día que se habían quedado sin provisiones para comer y tuvieron que salir al bosque en busca de frutas, y tuvieron que aprender también a como pescar, y hacer fuego para cocinar, por surte en la isla había mucho alimento.

Construyeron una casa con todo lo que encontraron, eran felices con la sencillez.

Aprendieron a nadar como peces, a divertirse con la naturaleza.

Pasó un año y nade había ido a esa Isla ni pasó ningún barco.

En el bote que tenían salían a navegar y de pronto vieron un barco que se acercaba a la Isla.

Se pusieron felices, la gente zarpó en la Isla pero parecía muy rara, no querían hablarles a ellos, es más, hablaban otro idioma.

Estuvieron un mes y ni así pudieron hacerse amigos, les hacían señas por favor de que los salvaran o les dijeran donde estaban.

Pero ninguna información salió de sus bocas y se fueron a la noche siguiente.

Nuevamente sin esperanza pero con felicidad, la esperanza destruida de cambiar de vida.

El padre decía que no había por qué entristecerse porque ya iba a aparecer otro barco.

Una noche calurosa y tormentosa, de relámpagos truenos, todos dormían, hasta que de pronto dos mujeres estaban en el cuarto de ellos.

Se levantaron de prisa asustados, pero las mujeres les hablaron muy bien, les dijeron que conocen esta isla hace veinte años y que la situación por la tormenta estaba complicada y tuvieron que zarpar ahí en la isla.

Les hicieron lugar para descansar, eran tres tripulantes, tres hermanas.

Ellas manifestaron que ni bien terminara la tormenta se irían y si ellos querían los llevarían de nuevo a la civilización.

Ellos muy contentos festejaron, claro que querían volver a la sociedad, mandar sus niños a la escuela, trabajar como lo hicieron en algún tiempo.

Pero no tenían donde vivir ni dinero, así que ellas les ofrecieron hospedaje en su casa y trabajo, ahí empezaron una nueva vida y David y Jenny comenzaron la escuela e hicieron muchos amigos, a pesar de que al principio tuvieron que lidiar con problemas de sociabilización.

VOCABULARY:

ISLA: ISLAND

PROVISIONES: PROVISIONS

PESCAR: FISHING

TRIPULANTES: CREW

ZARPAR: SAILED

CONCLUSION:

Espero que hayas disfrutado y te hayas introducido en las historias y mejorado tu español, espero también que te hayas sumergido en un mundo de un nuevo vocabulario para que sigas avanzando, así como yo disfruté de escribirlo dedicado a todos ustedes. Seleccioné con mucho gusto las palabras claves para una mejor comprensión de dicho libro, así como las temáticas, a través de historias cautivantes que espero haya sido una buena experiencia para ti. ¡Gracias!

CPSIA information can be obtained
at www.ICGtesting.com
Printed in the USA
LVHW081041190322
713719LV00028B/202